Descubre
el español
con Santillana
D

Published in the United States of America.

Descubre el español con Santillana
Student Book Level D
ISBN-13: 978-1-61605-621-6
ISBN-10: 1-61605-621-5.

Editorial Staff
Contributing Writer: Patricia Acosta
Content Editor: Camila Segura
Proofreader: Claudia Baca
Editorial Director: Mario Castro
Design and Production Manager:
Mónica R. Candelas Torres
Head Designer: Francisco Flores
Design and Layout: Edwin Ramírez Mendieta
Image and Photo Research Editor:
Mónica Delgado de Patrucco
Cover Design and Layout: Studio Montage

Santillana USA Publishing Company, Inc.
2023 NW 84th Avenue, Doral, FL 33122

Printed in China

15 14 13 12 2 3 4 5 6 7

Acknowledgments:
Illustrations: Esteban Tolj

Photographs:
p.12: ©Ana Cecilia Gonzales-Vigil; p.14: ©Ana Cecilia Gonzales-Vigil; p.20: ©Ana Cecilia Gonzales-Vigil; p.22: ©Sergio Patrucco; p.28: ©Ana Cecilia Gonzales-Vigil; p.30: ©Ana Cecilia Gonzales-Vigil; p.32: ©Ana Cecilia Gonzales-Vigil; p.36: ©Ana Cecilia Gonzales-Vigil; p.39: ©Ana Cecilia Gonzales-Vigil; p.48: ©Santiago Carponi Flores; p.54: ©Waldhaeusl Com / Age Fotostock; p.56: ©Santiago Carponi Flores; p.62: ©Santiago Carponi Flores; p.63: ©Santiago Carponi Flores; p.64: ©Santiago Carponi Flores; p.65: ©Santiago Carponi Flores; p.66: ©Santiago Carponi Flores; p.73: ©Santiago Carponi Flores; p.82: ©EFE NEWS, ©Gustavo Bueso Padgett; p.88: ©Mario Casaverde / Santillana USA; p.96: ©Jane Sweeney / Age Fotostock; p.104: ©Mario Casaverde / Santillana USA; p.114: ©Carolina Iglesias; p.116: ©Carolina Iglesias; p.120: ©Carolina Iglesias; p.123: ©Carolina Iglesias; p.128: ©Heinz Plenge; p.130: ©Fabio Braibanti / Age Fotostock; p.134: ©Mario Casaverde / Santillana USA; p.138: ©Heinz Plenge; p.148: ©Elisabeth Courtois / Age Fotostock; p.170: ©Helene Rogers / Age Fotostock; p.172: ©Elisabeth Courtois / Age Fotostock; p.178: ©Elisabeth Courtois / Age Fotostock, © Elisabeth Courtois / Age Fotostock; p.216: ©Jose Enrique Molina / Age Fotostock; p.218: ©Ken Welsh / Age Fotostock; p.222: ©Ana Martinez / Reuters; p.232: ©Kord / Age Fotostock; p.240: ©EXPLORA Centro de Ciencias y Arte; p.250: ©Osvaldo Sánchez Gómez; p.258: ©José Fuste Vega / Age Fotostock; p.266: ©Eliana Aponte / Age Fotostock; p.268: ©Enrique Estrada; p.272: ©Santillana Mexico; p.274: ©Osvaldo Sánchez Gómez.

Descubre el español con Santillana D

Unidad 1

Nos conocemos

Descubre Perú

Unidad 2

Descubre **Argentina**

Unidad 3

Descubre **Honduras**

Unidad 4

Los animales

Descubre Colombia

Unidad 5

Nos cuidamos

Descubre República Dominicana

Unidad 8

Nuestras celebraciones

Descubre México

VIAJA CON ALANA Y KAI

Lost & Found
Baggage Claim and Gates 20-32
Baggage Claim
Ground Transportation
Harbor Police
Lost & Found

Alana y Kai son hermanos y visitan muchos paises.

Perú

Honduras

Ellos conocen personas y lugares.

Acompaña a Alana y a Kai
en sus aventuras.

Argentina

Panamá

República Dominicana

REPÚBLICA DOMINICANA
5
PESOS
1997

Unidad 1

Nos conocemos

PERU

PERÚ-AÉREO
NARIO DEL NACIMIENTO DE ISABEL LA CATÓLICA
1951
FLOTA DE CRISTÓBAL COLÓN, 1492
"SANTA MARIA" "LA PINTA" "LA NIÑA"
S/. 2.20

Voy a aprender sobre...

- los saludos y despedidas.
- la familia.
- los amigos.
- cómo somos.

COSTA
PANAMÁ
VENEZUELA
COLOMBIA
ECUADOR
PERÚ
BOLIVIA
PARAGUAY
CHILE

Descubre Perú

Culturas

semana 1

Saludos y despedidas

¡Hola! ¿Cómo estás? Yo soy Alana.
¡Hola! Yo soy Amaya.
Hola, Amaya. Yo soy Kai.
KAI

Plaza de Armas en Lima

Saludos

Comunicación

¡Hola! ¿Cómo estás?
Muy bien, gracias.
¿Y tú, cómo estás?

▶ Conversa.

¡Hola!

¿Cómo estás?

El mercado en Perú

¡Hola! Yo soy Ramón. Yo trabajo en el mercado. Él es mi hijo Alfredo.
Mucho gusto. Yo soy Kai. Ella es Alana.
¡Hola, Alfredo! ¿Cómo estás?
Muy bien, gracias.

¡Hasta luego!
¡Adiós!

A. Escucha y repite.

Hola	Adiós	Mucho gusto	mercado

B. Completa.

1. Ramón trabaja en el ______.

2. ¡______! ¿Cómo estás?

Kai

3. ______. Yo soy Kai.

4. ¡______!

C. Conversa.

1. Preséntate.

Yo soy…

2. Saluda a un amigo o una amiga.

¡Hola! ¿Cómo estás?

¿Qué recuerdas?

A. Ordena.

Mucho gusto.

¡Adiós!

¡Hola! Yo soy Ramón.

B. ¿Cierto o falso?

1. Yo soy Alana.

2. Él es Ramón.

3. Él es Kai.

4. Ella es Alfredo.

Hola y adiós

A. Escucha y repite.

Hola, Armando. Te presento a mi amigo Sergio.
Mucho gusto.

Hasta mañana.
Hasta luego.
Nos vemos pronto.

B. Conversa.

¡Hola! ¿Cómo estás?

Muy bien, gracias.

Te presento a...

Mucho gusto.

C. Escucha y completa.

¡Adiós! ¡Hasta luego! Hasta mañana. Nos vemos pronto.

Buenos días, buenas tardes, buenas noches

A. Escucha y repite.

Buenos días, yo soy la señora Macías.
Mucho gusto. Yo soy el señor García.
Buenas tardes, señora Fernández.
Buenas tardes, señor Gómez.
Buenas noches, papá. Te presento a la señora Macías.
Mucho gusto, señora.

B. Conversa.

Buenos días
Buenas tardes
Buenas noches

señora
señor

Repasa

- los saludos y las despedidas

Aplica

1. Saluda a un niño.
2. Presenta a un amigo o una amiga.
3. Despídete de la señora Macías.

¡Hola! Te presento a Juan.

¡A escribir!

Tema: Mi familia

PLANIFICA
ESCRIBE
REVISA
PRESENTA

semana 2

La familia

¿Quién es?

Comunicación

Conexiones

¡Hola!, abuela y abuelo.
Buenos días, mamá.
Buenos días, papá.
Él es mi amigo Kai.

Mucho gusto, señoras.
Hola. ¿Cómo están?
Mucho gusto, señores.
Yo estoy muy bien.

Casa en Lima

Hola, señor.
Papá, él es mi amigo Kai.
Mucho gusto, Kai.

▶ Conversa.

Él es...

Ella es...

La fiesta de bienvenida

Mi familia prepara una fiesta de bienvenida para Alana y Kai.

La mamá y el papá de Amaya están al lado de Alana y Kai.

La abuela y el abuelo están debajo de la sombrilla.

La hermana está dentro de la carpa.

A. Escucha y repite.

papá mamá hermana abuelos

B. Completa.

1. La ________ y el ________ están al lado de Alana y Kai.

2. La ________ de Amaya está dentro de la carpa.

3. Los ________ están debajo de la sombrilla.

C. Conversa.

- ¿Dónde está la familia de Amaya?

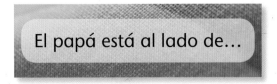

El papá está al lado de...

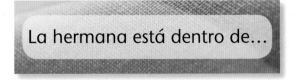

La hermana está dentro de...

Las vocales

A. Escucha y repite.

a e i o u

abuela

abuelo

elefante

estrella

iguana

iglú

oso

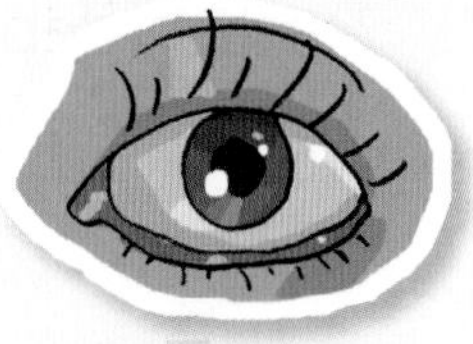

ojo

uvas

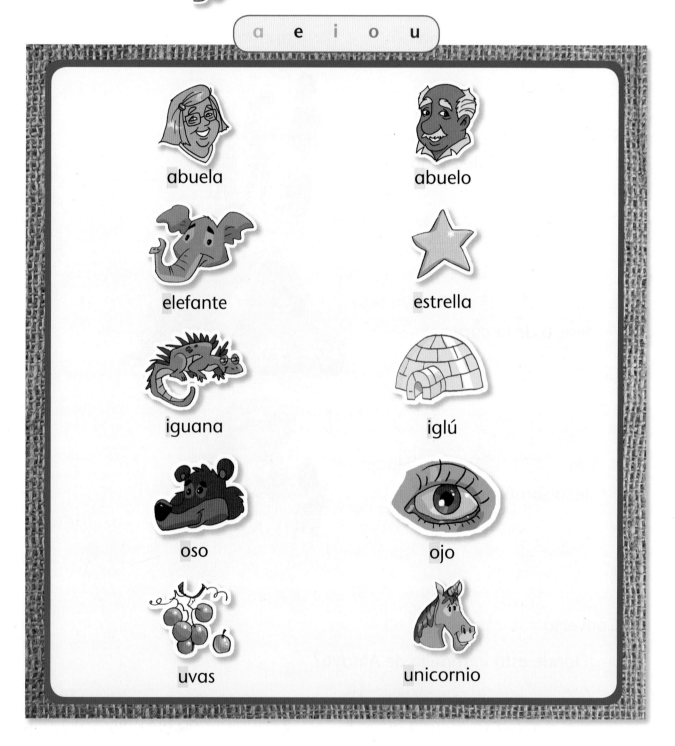

unicornio

B. Completa. Lee en voz alta.

1. ___strella
2. ___so
3. ___buela
4. ___glú
5. ___vas

C. Escucha e identifica.

		A	E	I	O	U
	abuelo	X	X		X	X
	señor					
	hermano					
	fiesta					
	niño					

El árbol familiar

A. Escucha e identifica. Conexiones

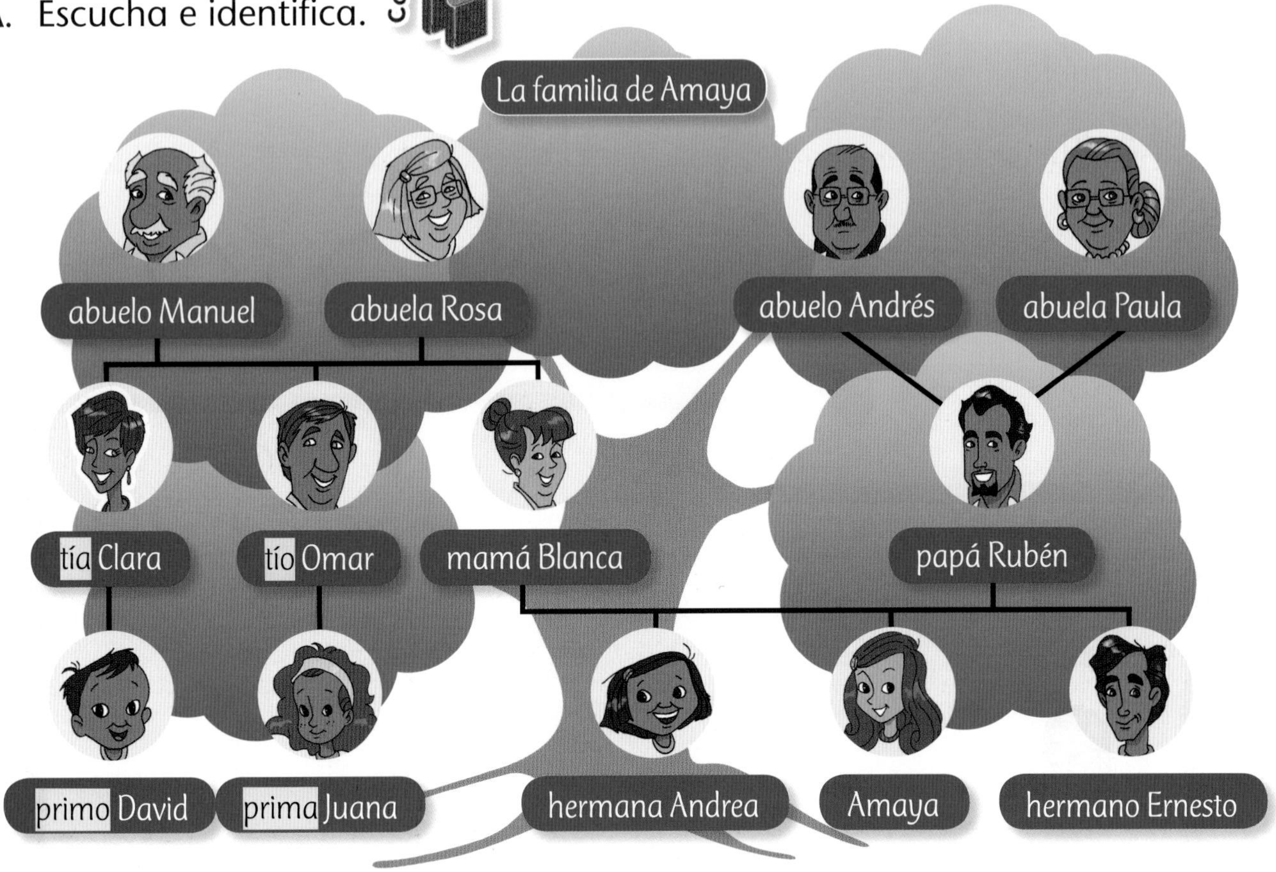
La familia de Amaya
abuelo Manuel
abuela Rosa
abuelo Andrés
abuela Paula
tía Clara
tío Omar
mamá Blanca
papá Rubén
primo David
prima Juana
hermana Andrea
Amaya
hermano Ernesto

B. Completa. Lee las oraciones. Comunicación

tía	primo	hermano	abuelo	abuela	hermana

1. Mi ______ es David.
2. Mi ______ es Andrea.
3. Mi ______ es Andrés.
4. Mi ______ es Ernesto.
5. Mi ______ es Rosa.
6. Mi ______ es Clara.

Yo soy Amaya.

Repasa

- la familia
- las vocales

Aplica

1. Saluda a un amigo o una amiga.
2. Presenta a tu familia.

¡Hola! Yo soy Bridget.
Mi mamá es Heidi.

¡A escribir!

Comunicación

Tema: Mi familia

PLANIFICA
ESCRIBE
REVISA
PRESENTA

Los amigos

¿Cómo te llamas?
KAi

Mis amigos

Comunicación

Yo me llamo Amaya.
Mi amiga se llama Alana.
Mi amigo se llama Kai.
Mis amigos y yo comemos
en un restaurante peruano.

Restaurante en Lima

Yo me llamo Amaya.
Mi amigo se llama Kai.

▶ Conversa.

Yo me llamo...

Mi amigo se llama...

Mi amiga se llama...

Nuevos amigos

Hola, Miguel. ¿Qué comes?
Yo como ceviche. ¿Quieres comer?
Sí, gracias.
KAi

¿Cómo te llamas?
Me llamo Alana.
Mucho gusto, Alana. Yo soy Miguel. ¿Dónde vives?
Yo vivo en Hawái.

A. Escucha y repite.

amigos

ceviche

comer

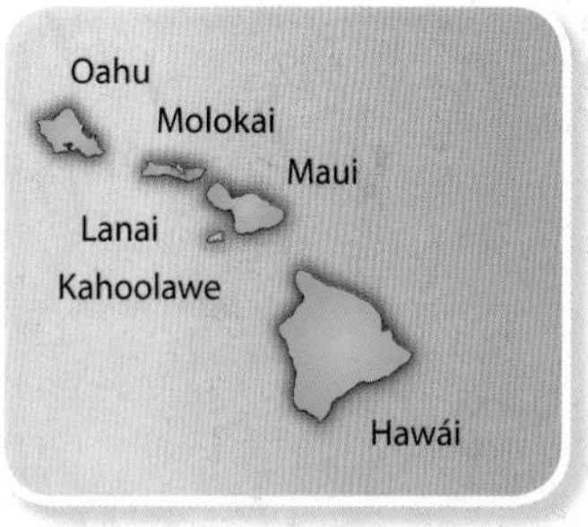
Oahu
Molokai
Maui
Lanai
Kahoolawe
Hawái

Hawái

B. Completa. Lee las oraciones.

1. Alfredo y Kai son ________.
2. Alfredo come ________.
3. Alana vive en ________.
4. ¿Quieres ________ ceviche?

C. Conversa con un amigo o una amiga.

1. ¿Cómo te llamas?

   Me llamo...

2. ¿Dónde vives?

   Yo vivo en...

Me llamo Alana.

Al conocernos

A. Escucha y repite.

Hola, niños. Yo soy la señora Pérez. ¿Cómo están?
Muy bien, gracias. Mucho gusto, Sra. Pérez.

Hola. Yo soy el doctor González.
Mucho gusto, Dr. González.

B. Lee.

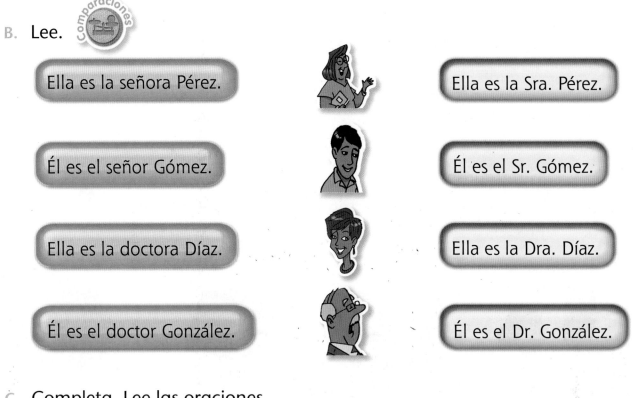

Ella es la señora Pérez.

Ella es la Sra. Pérez.

Él es el señor Gómez.

Él es el Sr. Gómez.

Ella es la doctora Díaz.

Ella es la Dra. Díaz.

Él es el doctor González.

Él es el Dr. González.

C. Completa. Lee las oraciones.

Sra.	Dr.	Sr.	Dra.

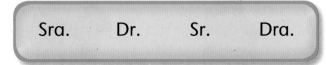

1. La ____ Pérez es la maestra.
2. La ____ Díaz es la tía de Amaya.
3. El ____ Gómez quiere comer.
4. El ____ González vive en Perú.

D. Conversa.

1. ¿Dónde vive el doctor González?
2. ¿Cómo se llama la maestra de Amaya?
3. ¿Cómo se llama tu maestro o maestra?

¿Similar o diferente?

A. Escucha e identifica.

restaurante	hermana	familia	amigos
abuela	doctor	papá	mamá

1. 

2. 

3. 

4. 
CEVICHERIA

5. 

6. 

7. 

8. 

B. Construye oraciones.

1. amigo mi Ricardo es
2. yo restaurante como en un
3. doctor el mi es tío
4. mamá ella mi es

Repasa

- los amigos

Aplica

1. Saluda a un amigo o una amiga.
2. ¿Cómo se llama tu amigo o amiga?
3. ¿Dónde vive tu amigo o amiga?
4. Despídete de tu amigo o amiga.

¡Hola! Él es mi amigo...

¡A escribir!

Comunicación

Tema: Mi familia

PLANIFICA
ESCRIBE
REVISA
PRESENTA

¿Cómo somos?

¿Cómo es?

Comunicación

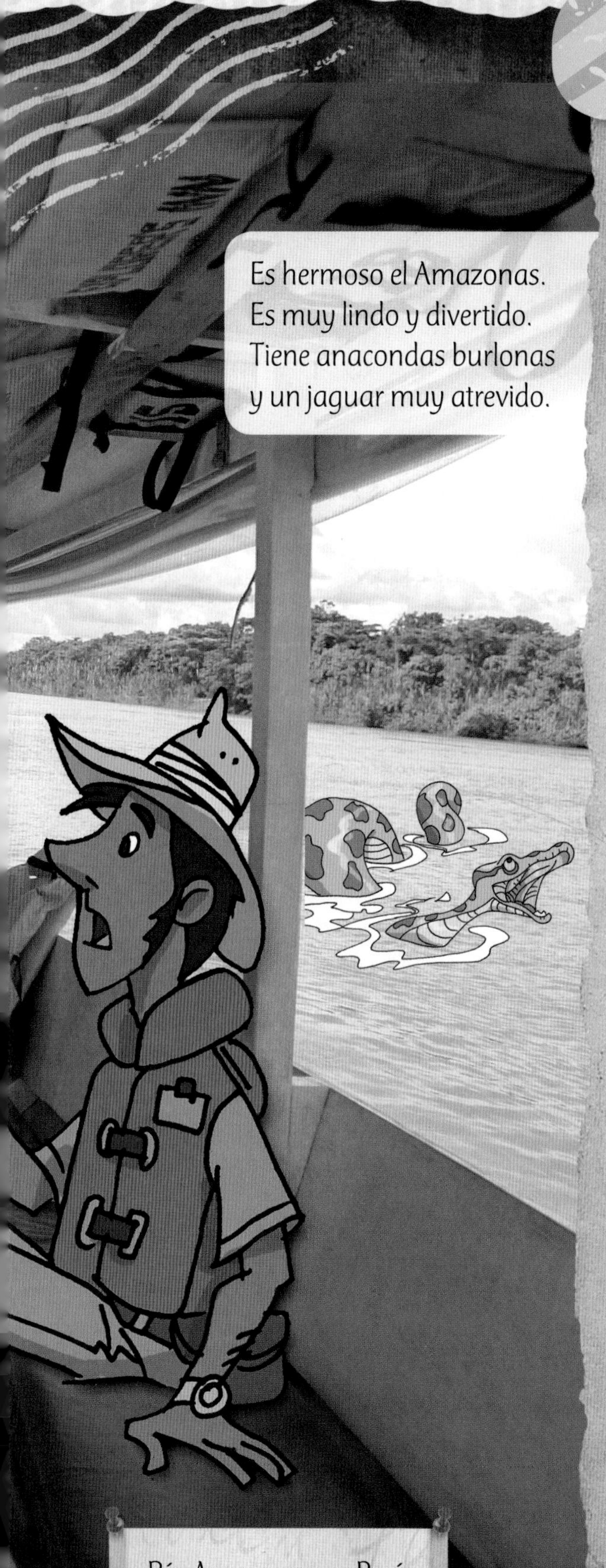
Es hermoso el Amazonas.
Es muy lindo y divertido.
Tiene anacondas burlonas
y un jaguar muy atrevido.

Río Amazonas en Perú

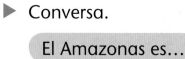

El Amazonas es hermoso.

▶ Conversa.

El Amazonas es…

Un correo electrónico

Correo Electrónico

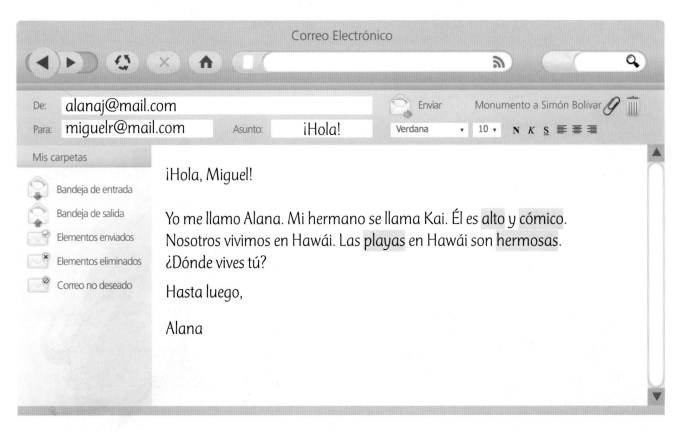

De: alanaj@mail.com
Para: miguelr@mail.com
Asunto: ¡Hola!
Enviar
Monumento a Simón Bolivar
Verdana 10 N K S

Mis carpetas
- Bandeja de entrada
- Bandeja de salida
- Elementos enviados
- Elementos eliminados
- Correo no deseado

¡Hola, Miguel!

Yo me llamo Alana. Mi hermano se llama Kai. Él es alto y cómico. Nosotros vivimos en Hawái. Las playas en Hawái son hermosas. ¿Dónde vives tú?

Hasta luego,

Alana

Correo Electrónico

De: miguelr@mail.com
Para: alanaj@mail.com
Asunto: ¡Hola!
Enviar
Verdana 10 N K S

Mis carpetas
- Bandeja de entrada
- Bandeja de salida
- Elementos enviados
- Elementos eliminados
- Correo no deseado

¡Hola, Alana!

¿Cómo estás? Yo me llamo Miguel. Mis hermanos se llaman Gabriel y Alicia. Mi hermano es alto y serio. Mi hermana es baja y cómica. Nosotros vivimos en Lima. La ciudad de Lima es divertida.

Adiós,

Miguel

A. Escucha y repite.

ciudad

playa

baja

alto

B. Completa.

1. La _____ en Hawái es hermosa.
2. Lima es una _____ divertida.
3. Kai es _____.
4. La hermana de Miguel es _____.

C. Conversa.

La ciudad es…

El hermano de Alana es…

Yo soy…

Yo soy cómica.

Mi familia y mis amigos

A. Escucha y repite. Conexiones ABC

Yo soy Alfredo.
Tú eres mi tía.
Ramón es mi papá.

El doctor Benítez es mi tío.
Sandra, Reinaldo y yo somos primos.
Sandra y Reinaldo son hermanos.

B. Escoge. Lee las oraciones.

1. Yo (soy / somos) María.
2. Manuel (eres / es) mi papá.
3. Tú (eres / soy) mi hermana.
4. Patricia y José (es / son) mis abuelos.
5. Lisa y yo (son / somos) hermanos.
6. Pedro (es / eres) mi tío.

C. Une y conversa. Comunicación

Tú	eres	mi hermana.
Él	es	mi papá.
Nosotros	somos	una familia.
Ellos	son	mis amigos.

D. Escucha y repite.

La plaza es bonita.
Los dulces son deliciosos.
El mercado es pequeño.
Las casas son hermosas.

La vendedora es amable.
Miguel y sus hermanos son simpáticos.
La hermana de Miguel es cómica.
El hermano de Miguel es serio.

E. Construye oraciones.

El mercado	es amable.
Los dulces	son simpáticos.
Las casas	es pequeño.
La plaza	son hermosas.
La vendedora	es bonita.
Los hermanos	son deliciosos.

¿Cómo es tu comunidad?

A. Escoge. Lee en voz alta.

Hola, Alicia:

La familia de Juan (es / son) grande. Juan tiene tres hermanos. Ellos (es / son) cómicos. La comunidad donde viven es (hermosa / hermosas). Sus padres (es / son) serios.

Hasta luego,

Anita

B. Escoge y conversa.

1. Mi familia es...

a. grande.

b. pequeña.

2. Mi comunidad es...

a. grande.

b. pequeña.

Repasa

- los saludos y las despedidas
- la familia
- los amigos
- cómo somos

Aplica

1. Saluda a un amigo.
2. Despídete de una amiga.
3. Describe a tu familia.
4. Describe a tus amigos.
5. Describe tu comunidad.

Mi comunidad es...
Perú

¡A escribir!

Comunicación

Tema: Mi familia

PLANIFICA
ESCRIBE
REVISA
PRESENTA

Unidad 2

¿Cómo vivimos?

5 PESOS
ARG
GRAL JOSE DE SAN MARTIN
20c
ARGENTINA

Voy a aprender sobre...

- el barrio y el hogar.
- las personas de la comunidad.
- la ropa y la moda.
- los lugares de la comunidad.

PERÚ
BOLIVIA
PARAGUAY
CHILE
ARGENTINA
URUGUAY

2 PESOS
CORREOS

CENTENARIO DE LA CONQUISTA DEL DESIERTO
1879-1979
50
PESOS
1978

Descubre Argentina

Culturas

semana 1

El barrio y el hogar

¡Hola Julio! Yo soy Alana.
Y yo soy Kai. ¿Dónde vives?
Yo vivo en el barrio La Recoleta. Vivo cerca de parques y plazas.

¿Dónde vives?

Plaza de las Naciones Unidas
en Buenos Aires

Yo vivo en Honolulu en Hawái.
Yo vivo en La Recoleta en Buenos Aires.

▶ Conversa.

Yo vivo en...

El hogar de Julio

Yo vivo en un apartamento en la ciudad.
Nosotros vivimos en una casa en el campo.

Barrio La Recoleta en Buenos Aires

La sala es bonita. Tiene un sofá verde.
El comedor es grande. Tiene una mesa y cuatro sillas.

La sala y el comedor

Me gusta tu cama. Es azul.
Mi hogar tiene tres dormitorios. Éste es mi cuarto.
Me gusta tu baño. Es blanco.

El dormitorio y el baño

¿Te gusta la cocina?
Sí, me gusta la cocina.
No, no me gusta la cocina.

La cocina

A. Escucha y repite.

apartamento	comedor	dormitorios
cama	casa	sofá

B. Completa.

1. Yo soy Julio. Yo vivo en un ________.
2. Alana y yo vivimos en una ________.
3. La sala es bonita y tiene un ________ verde.
4. El ________ tiene una mesa y cuatro sillas.
5. El apartamento de Julio tiene tres ________.
6. La ________ de Julio es azul.

C. Escoge. Lee en voz alta.

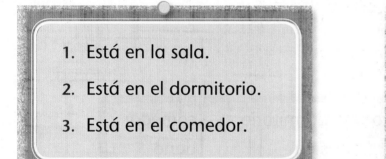

1. Está en la sala.
2. Está en el dormitorio.
3. Está en el comedor.

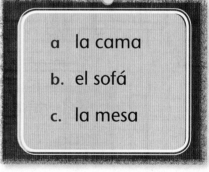

a la cama
b. el sofá
c. la mesa

D. Conversa.

- Imagina que estás en el apartamento de Julio.
  1. ¿Cómo es la sala?
  2. ¿Cómo es el comedor?
  3. ¿Cómo es el baño?
  4. ¿Te gusta la cocina?

¿Qué recuerdas?

A. Escucha y escoge. *Comunicación*

1. En la lectura Alana y Kai…
   - a. conocen Perú.
   - b. conocen el hogar de Julio.
   - c. conocen a Amaya.
   - d. conocen el parque.
2. Julio vive en…
   - a. una casa.
   - b. un apartamento.
   - c. una plaza.
   - d. un mercado.
3. La sala tiene…
   - a. cuatro sillas.
   - b. un comedor.
   - c. un sofá verde.
   - d. una cama.
4. El baño es…
   - a. azul.
   - b. verde.
   - c. blanco.
   - d. rojo.

B. Escoge.

apartamento	dormitorio	comedor
casa	sala	baño

1.

2.

3.

4.

5.

6.

Me gusta

A. Escucha y repite.

Me gusta...

la ciudad

el campo

Me gustan...

las casas

los apartamentos

B. Conversa con un amigo o una amiga.

1. ¿Vives en la ciudad o en el campo?

   Yo vivo en...

2. ¿Vives en un apartamento o en una casa?

   Yo vivo en...

3. ¿Te gustan las casas o los apartamentos?

   Me gustan...

Yo vivo en una casa.

Un paseo por Buenos Aires

A. Escucha y repite.

Ésta es la Plaza de Mayo.
¡La plaza es grande y bonita! ¿Qué es ese edificio rosado?
Es la Casa Rosada. El presidente trabaja en ese edificio.
Éste es el Jardín Japonés. Es un lugar hermoso. Tiene muchos árboles.
Éste es el barrio La Boca. Es un barrio famoso de Buenos Aires. ¡Tiene muchos colores!

B. Conversa.

1. El presidente de Argentina trabaja en la Casa Rosada. ¿Dónde trabaja el presidente de los Estados Unidos?
2. El Jardín Japonés tiene muchos árboles. ¿Qué lugar de tu comunidad tiene muchos árboles?
3. El barrio La Boca tiene muchos colores. ¿Qué lugar de tu comunidad tiene muchos colores?

Repasa

- el barrio y el hogar

Aplica

1. ¿Dónde vive Julio?
2. ¿Dónde vives tú?
3. ¿Cómo es tu casa?
4. ¿Qué lugares te gustan?

¡Hola! Yo soy Olivia. Yo vivo en California. ¿Dónde vives tú?

¡A escribir!

Tema: Mi hogar

PLANIFICA
ESCRIBE
REVISA
PRESENTA

semana 2

Las personas de la comunidad

Las personas en mi barrio

Comunicación

Conexiones

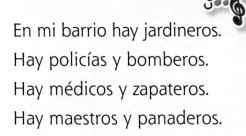

En mi barrio hay jardineros.
Hay policías y bomberos.
Hay médicos y zapateros.
Hay maestros y panaderos.

Parque en Buenos Aires

En mi barrio hay policías y bomberos.
ESCUELA
PANADERÍA
ZAPA

▶ Conversa.

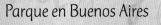

En mi barrio hay…

¡Vamos de compras!

galeria
del
SOL
salida a
PARAGUAY
FLORIDA 860
CASHMERE
-25%

Hoy nosotros vamos de compras a las tiendas.
En el centro de Buenos Aires hay muchas tiendas.
Yo compro pan y galletas en la panadería.
Kai y su papá hablan con el zapatero en la zapatería.
Alana y su mamá compran frutas, verduras y mantequilla en el mercado.

A. Escucha y repite.

zapatería	panadería	compran
tiendas	vamos	hablan

B. Completa.

1. Julio compra el pan y las galletas en la ________.
2. Alana y su mamá ________ frutas en el mercado.
3. Nosotros ________ de compras al centro de Buenos Aires.
4. Kai y su papá van a la ________.
5. En el centro de Buenos Aires hay muchas ________.
6. Kai y su papá ________ con el zapatero.

C. Conversa.

- Imagina que vas de compras con tu mamá.

Yo voy a...

Yo compro...

Mi mamá compra...

Personas, lugares y cosas

A. Escucha y repite.

1.

La *r*

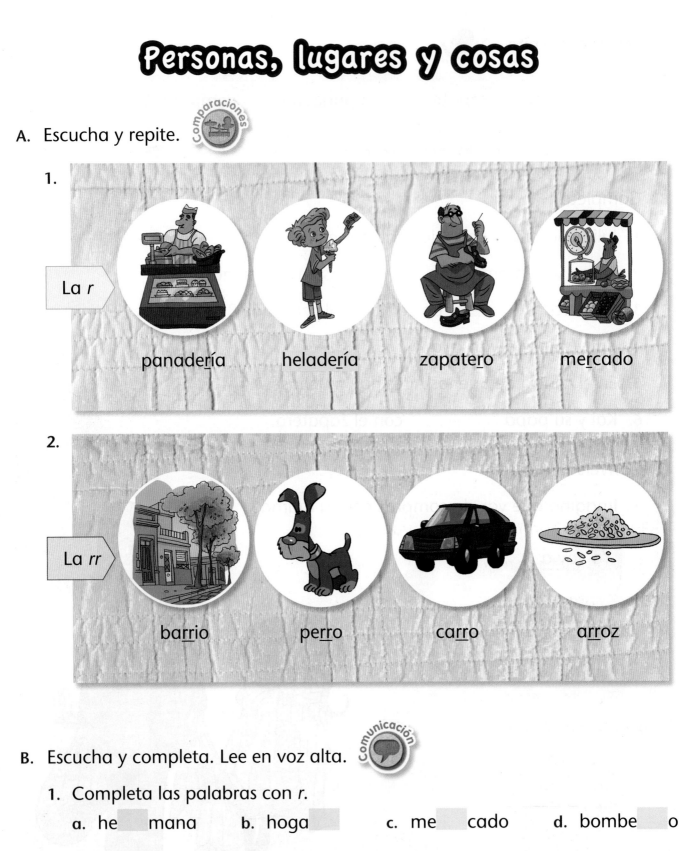

panadería heladería zapatero mercado

2.

La *rr*

barrio perro carro arroz

B. Escucha y completa. Lee en voz alta.

1. Completa las palabras con *r*.

   a. he___mana **b.** hoga___ **c.** me___cado **d.** bombe___o

2. Completa las palabras con *rr*.

   a. ba___io **b.** pe___o **c.** a___oz **d.** ca___o

C. Escucha y repite.

1.

que

parque

Quena

queso

2.

qui

mantequilla

esquina

Quique

D. Escucha y completa. Lee en voz alta.

1. Completa con *que*.

a. par ___

b. Enri ___

c. ___ so

2. Completa con *qui*.

a. es ___ na

b. tran ___ lo

c. mante ___ lla.

E. Escucha e identifica.

a. esquina

b. mercado

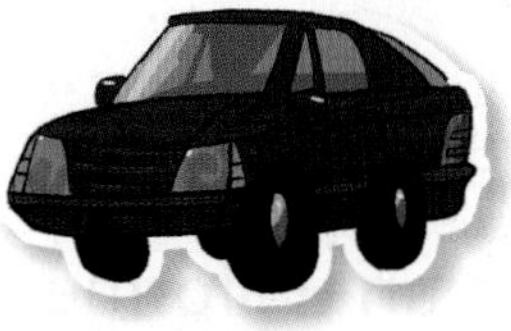

c. carro

d. queso

Los colores

A. Escucha y repite.

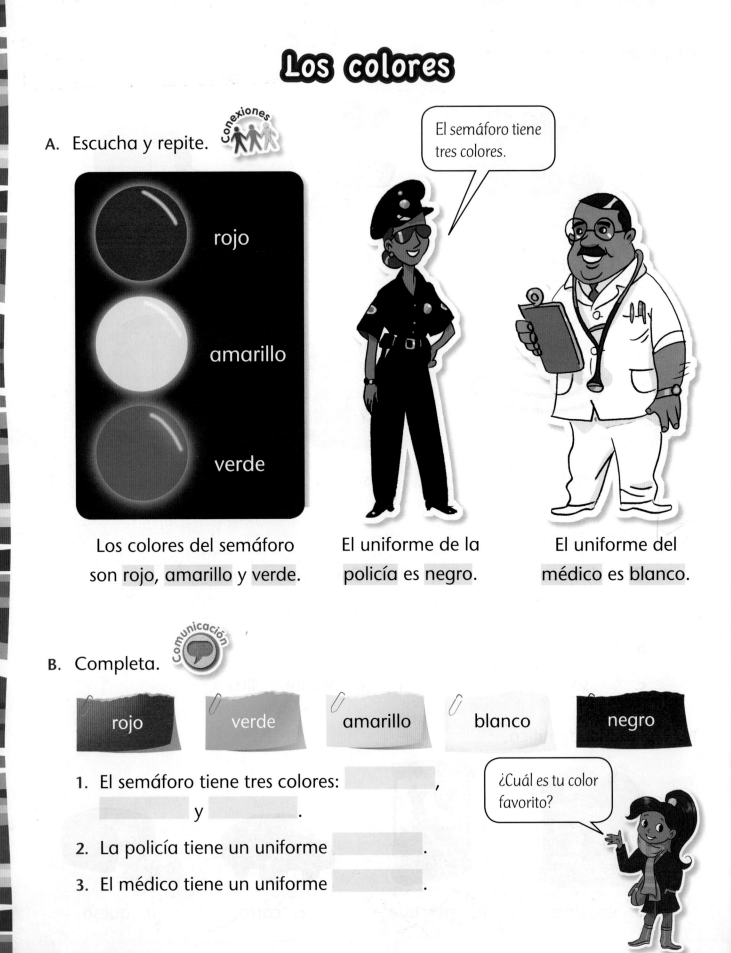

rojo
amarillo
verde

El semáforo tiene tres colores.

Los colores del semáforo son rojo, amarillo y verde.

El uniforme de la policía es negro.

El uniforme del médico es blanco.

B. Completa.

rojo | verde | amarillo | blanco | negro

1. El semáforo tiene tres colores: ________, ________ y ________.
2. La policía tiene un uniforme ________.
3. El médico tiene un uniforme ________.

¿Cuál es tu color favorito?

Repasa

- las personas de la comunidad
- los lugares de la comunidad

Aplica

1. ¿Qué tiendas hay en tu comunidad?
2. ¿Qué personas trabajan en tu comunidad?
3. Identifica un objeto rojo, verde, amarillo, blanco o negro.
4. ¿De qué color es el uniforme de los policías en tu comunidad?

En mi comunidad hay una panadería…

¡A escribir!

Tema: Mi hogar

PLANIFICA
ESCRIBE
REVISA
PRESENTA

semana 3

La ropa y la moda

No me gusta el pantalón blanco.
Me gusta la blusa verde y el pantalón negro.
TAX FREE

¿Qué te gusta?

Comunicación

Tienda de ropa en Buenos Aires

¿Qué te gusta?
Me gusta la camisa. No me gusta el pantalón.

▶ Conversa.

Me gusta…

No me gusta…

¡Compremos ropa!

Niña: Me gustan la blusa blanca, la falda negra y los calcetines rojos.

Madre: ¡Son muy bonitos!

Vendedor: ¿Te gustan el pantalón azul y la camisa verde?

Niño: Sí, sí me gustan.

Vendedor: ¿Te gustan los zapatos negros?

Niño: No, no me gustan.

Niño: ¡Qué linda la camiseta amarilla! ¿La compro?

Niña: Sí, compra la camiseta. ¡Me gusta!

A. Escucha y repite.

camisa

calcetines

falda

blusa

camiseta

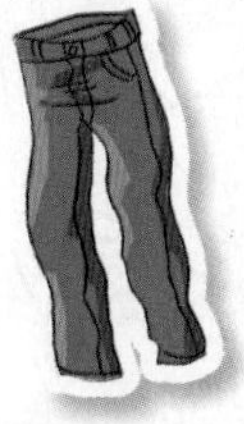

pantalón

zapatos

B. Completa. Lee en voz alta.

pantalón	camiseta	zapatos	camisa
blusa	falda	calcetines	

1. La ________ blanca, la ________ negra y los ________ rojos son bonitos.
2. Al niño le gustan el ________ azul y la ________ verde, pero no le gustan los ________ negros.
3. El niño compra la ________ amarilla.

C. Conversa con un amigo o una amiga.

¿Te gusta comprar ropa?
¡Sí, sí me gusta!

1. ¿Te gusta comprar ropa?

¡Sí, sí me gusta!   No, no me gusta.

2. ¿Qué ropa te gusta comprar?

Me gusta comprar...

En la tienda de ropa

A. Escucha y repite.

Buenos días, señora.
¿Qué le gusta?

Buenos días, señor.
Me gusta la blusa roja.

¡Qué linda! A mí también me gusta.

¡Gracias por la blusa, señor!

B. Escoge la forma correcta.

1. a. Me gusta la blusa! b. Me gusta la blusa.
2. a. Qué linda b. ¡Qué linda!

C. Lee.

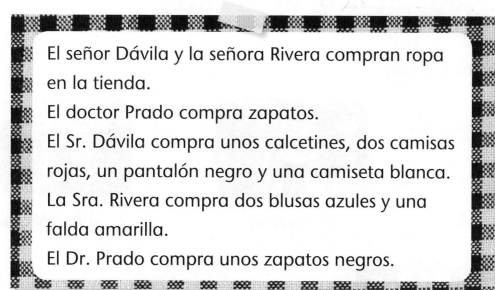

El señor Dávila y la señora Rivera compran ropa en la tienda.
El doctor Prado compra zapatos.
El Sr. Dávila compra unos calcetines, dos camisas rojas, un pantalón negro y una camiseta blanca.
La Sra. Rivera compra dos blusas azules y una falda amarilla.
El Dr. Prado compra unos zapatos negros.

D. Identifica los errores. Lee en voz alta.

1. El sr Dávila compra en la tienda.
2. él compra dos camisas.
3. La Sra. rivera compra dos blusas azules.
4. El dr Prado compra zapatos.

E. Escoge. Lee en voz alta.

1. El (Sr. / Sra.) Rivera va a la tienda para comprar ropa.
2. La (Dr. / Sra.) Rivera compra blusas.
3. El (Sra. / Dr.) Prado compra unos zapatos.

¿Similar o diferente?

A. Escucha y compara.

1. blusa

2. policía

3. supermercado

4. comunidad

5. camisa

6. mercado

7. falda

8. zapatos

B. Escoge la forma correcta.

1. a. Qué hermosa es tu blusa! b. ¡Qué hermosa es tu blusa!

2. a. la camisa es roja. b. La camisa es roja.

3. a. No, no me gusta. b. No, no me gusta

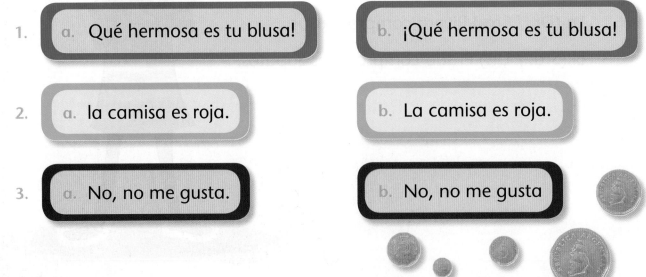

Repasa

- la ropa y los colores

Aplica

▶ Imagina que estás en una tienda de ropa con un amigo.

1. ¿Qué te gusta?
2. ¿Qué no te gusta?
3. ¿Cuál es tu color favorito?

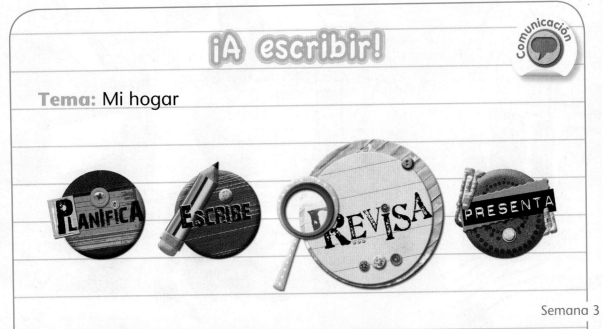

¿Te gusta el pantalón?
No, no me gusta.

¡A escribir!

Comunicación

Tema: Mi hogar

PLANIFICA
ESCRIBE
REVISA
PRESENTA

semana 4

Los lugares de la comunidad

¿Dónde estamos?

Comunicación

Las cataratas de Iguazú

Conexiones ABC

Caen cataratas,
chas, chas, chas.
Con mil colores,
chas, chas, chas.
Cantan su canto,
chas, chas, chas.
Entre las flores,
chas, chas, chas.

Cataratas de Iguazú en Argentina

Nosotros estamos en las cataratas de Iguazú.
Nosotros estamos en Argentina.

▶ Conversa.

Nosotros estamos en...

Un mapa electrónico

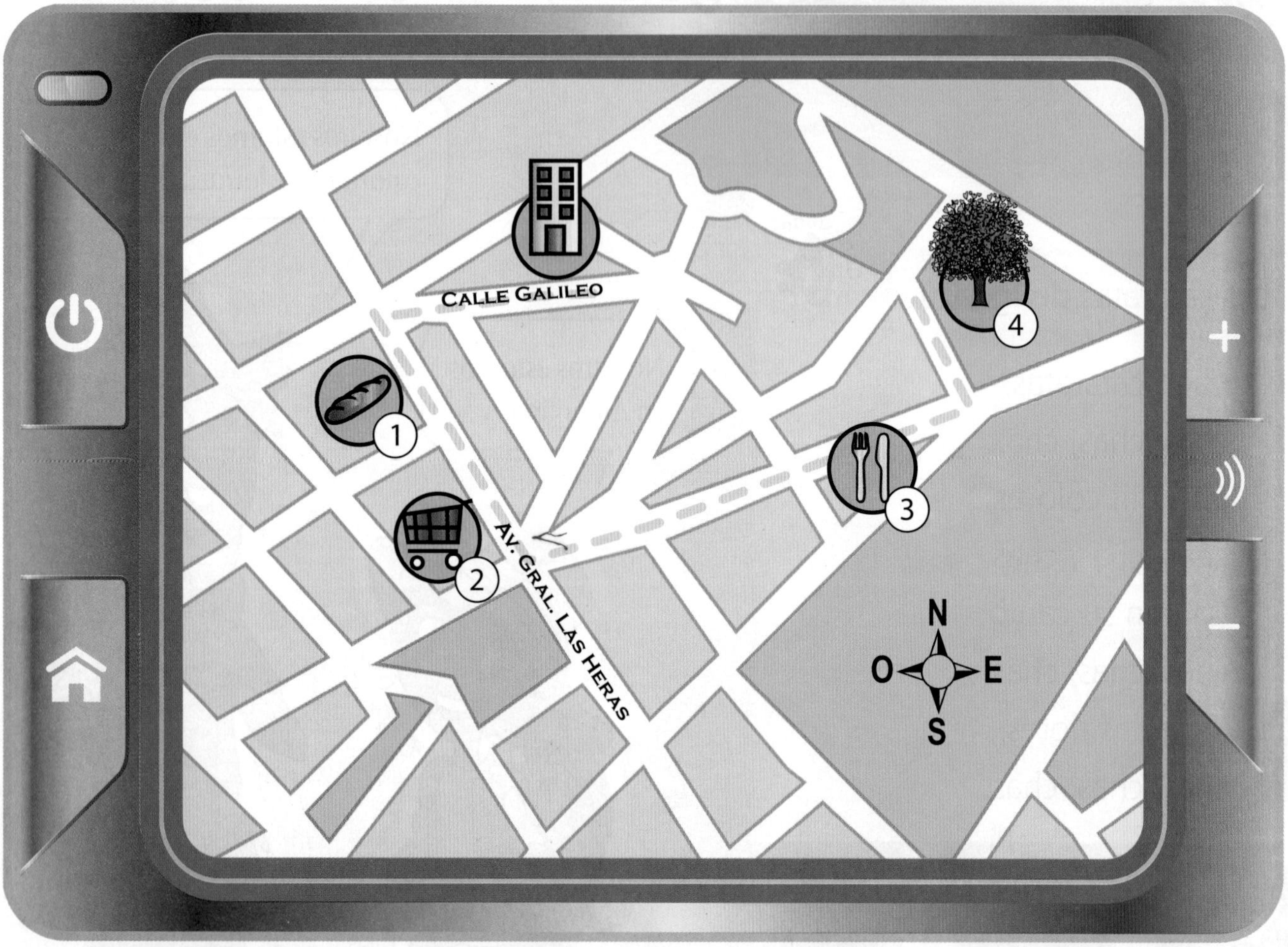
CALLE GALILEO
AV. GRAL. LAS HERAS
1
2
3
4
N
O
E
S

Nosotros estamos en el apartamento de Julio. Vamos a la plaza Francia. El apartamento de Julio está en la calle Galileo.

Primero, caminamos a la panadería. La panadería está al oeste del apartamento.

Luego, caminamos al supermercado. El supermercado está al sur de la panadería.

Después, caminamos al restaurante. El restaurante está al este del supermercado.

Por último, caminamos a la plaza Francia. La plaza está al norte del restaurante.

A. Escucha y repite.

oeste norte este sur

B. Completa. Lee en voz alta.

1. Primero, vamos a la panadería. Está al ________ del apartamento.

2. Luego, vamos al supermercado. Está al ________ de la panadería.

3. Después, vamos hacia el restaurante. Está al ________ del supermercado.

4. Por último, caminamos hacia la plaza Francia. Está al ________ del restaurante.

C. Conversa con un amigo o una amiga.

La casa de Julio está...

Mi casa está...

El apartamento de Julio está al norte de la ciudad.

¿Dónde están?

A. Escucha y repite.

PANADERIA

Yo estoy enfrente de la tienda.
Tú estás enfrente de la panadería.
Alana está enfrente del parque.

Nosotros estamos en la plaza Francia.
Ellos están enfrente del monumento a Argentina.
Julio está al lado del árbol.

B. Escoge. Lee en voz alta. Comunicación

1. Alana ______ en la cocina.
   a. estamos b. está
2. Yo ______ en el dormitorio.
   a. estoy b. está
3. Tú ______ en la panadería.
   a. está b. estás
4. Alejandro y Marta ______ en el mercado.
   a. estás b. están
5. Mis hermanos y yo ______ en la plaza.
   a. estamos b. estoy
6. La señora Morales ______ en la sala.
   a. está b. están

C. Construye oraciones. Conversa.

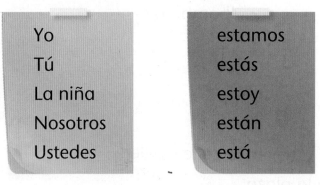

Yo	estamos	en la panadería.
Tú	estás	en el parque.
La niña	estoy	en el comedor.
Nosotros	están	en la sala.
Ustedes	está	en el dormitorio.

D. Juega y conversa con un amigo o una amiga. Comunidades

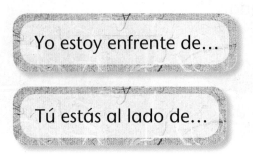

Yo estoy enfrente de...

Tú estás al lado de...

Los lugares de trabajo

A. Escoge. Conversa sobre los lugares.

PANADERIA

SUPERMERCADO

1. El ______ trabaja en la panadería. La panadería amarilla está en la esquina.
   a. policía
   b. médico
   c. panadero

2. El ______ trabaja en el supermercado. El supermercado azul está en la calle principal.
   a. zapatero
   b. vendedor
   c. bombero

B. Escoge. Lee en voz alta.

Alana:

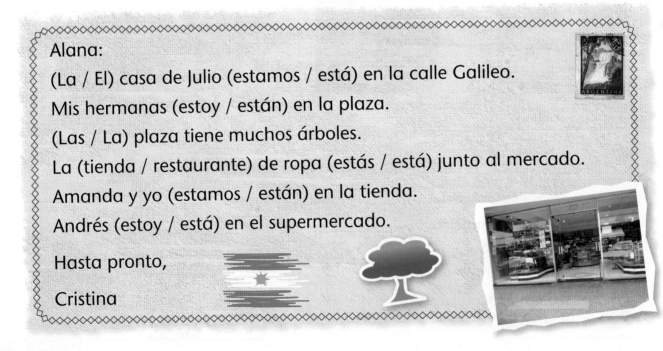

(La / El) casa de Julio (estamos / está) en la calle Galileo.

Mis hermanas (estoy / están) en la plaza.

(Las / La) plaza tiene muchos árboles.

La (tienda / restaurante) de ropa (estás / está) junto al mercado.

Amanda y yo (estamos / están) en la tienda.

Andrés (estoy / está) en el supermercado.

Hasta pronto,

Cristina

Repasa

- el barrio y el hogar
- las personas de la comunidad
- la ropa y los colores
- los lugares de la comunidad

Aplica

1. ¿Dónde está tu hogar?
2. ¿Cómo es tu hogar?
3. ¿Cómo son los lugares de tu comunidad?
4. ¿Quiénes son los trabajadores de tu comunidad?
5. ¿Dónde compras ropa?
6. ¿Qué ropa te gusta? ¿De qué color es?

Mi casa está en la calle del Sol. Mi casa es muy grande.

¡A escribir!

Comunicación

Tema: Mi hogar

PLANIFICA
ESCRIBE
REVISA
PRESENTA

Unidad 3

Vamos a aprender

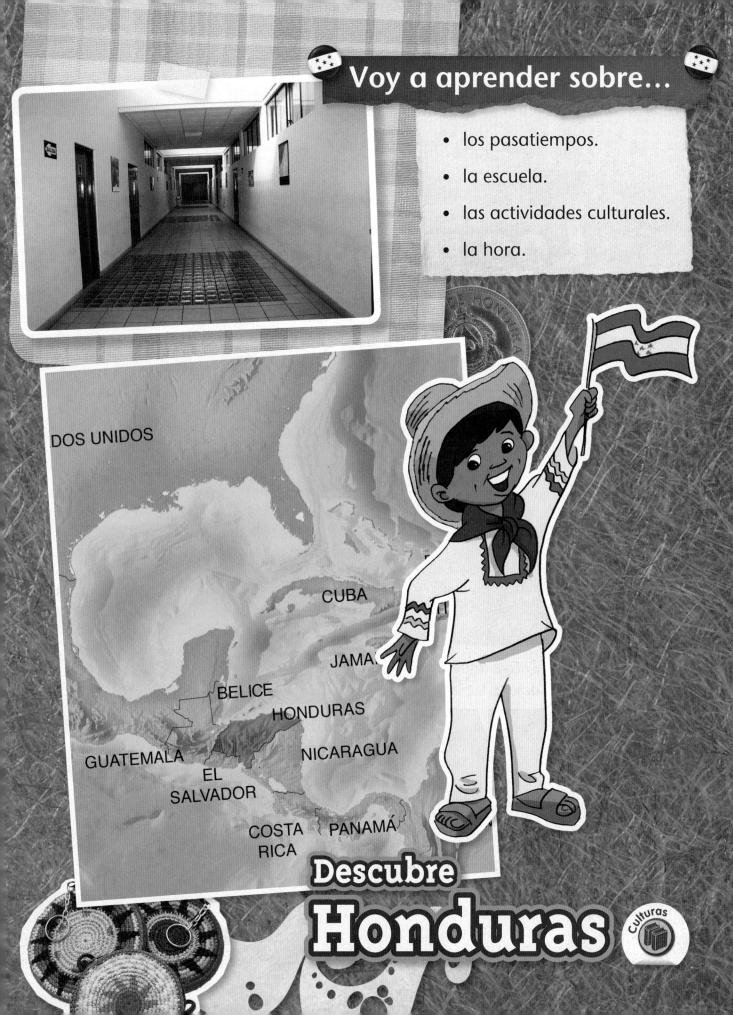

Voy a aprender sobre...

- los pasatiempos.
- la escuela.
- las actividades culturales.
- la hora.

DOS UNIDOS
CUBA
JAMA
BELICE
HONDURAS
GUATEMALA
NICARAGUA
EL SALVADOR
COSTA RICA
PANAMÁ

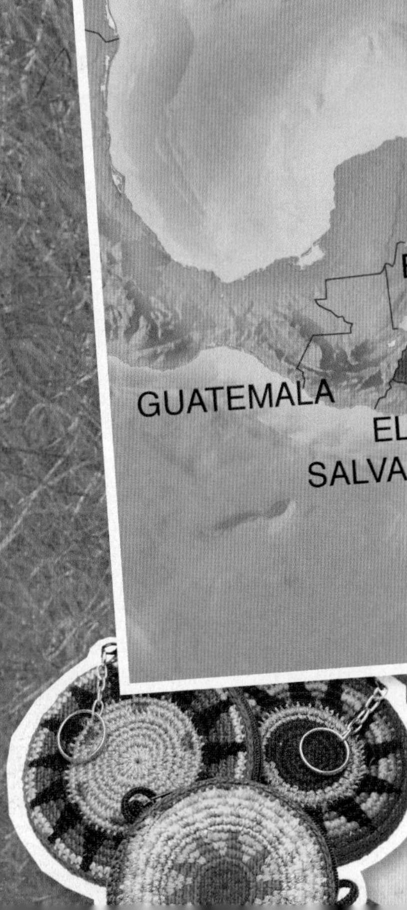

Descubre Honduras

Culturas

semana 1

Los pasatiempos

¿Juegas algún deporte, Lucila?
Sí, yo juego béisbol.

Estadio de béisbol

¿Qué deporte juegas?

Comunicación

Yo juego baloncesto.
Yo juego fútbol.
Yo juego béisbol.

▶ Conversa.

Yo juego...

Pasatiempos en Honduras

El sábado Lucila, Alana y Kai visitan el Museo del Hombre.
¿Te gusta el museo?
Sí, sí me gusta. Es divertido.
No, no me gusta. Es aburrido.

El domingo Lucila, Alana y Kai visitan las ruinas de Copán.
¡Me gusta visitar las ruinas! Son bonitas.
¡Y no hay mucha gente hoy!
Me gusta visitar las ruinas, pero ¡prefiero jugar baloncesto!

A. Escucha y repite.

baloncesto	domingo	aburrido
divertido	gente	ruinas

B. Completa. Lee en voz alta.

1. Para Alana, el museo es ______.
2. Para Kai, el museo es ______.
3. A Lucila le gusta visitar las ______ de Copán.
4. Hoy es ______. No hay mucha ______ en las ruinas de Copán.
5. A Kai le gustan las ruinas, pero él prefiere jugar ______.

C. Conversa con un amigo o una amiga.

- Imagina que visitas Tegucigalpa.
  1. ¿Cómo es el Museo del Hombre?

     El museo es…

  2. ¿Qué lugar te gusta visitar?

     Me gusta visitar…

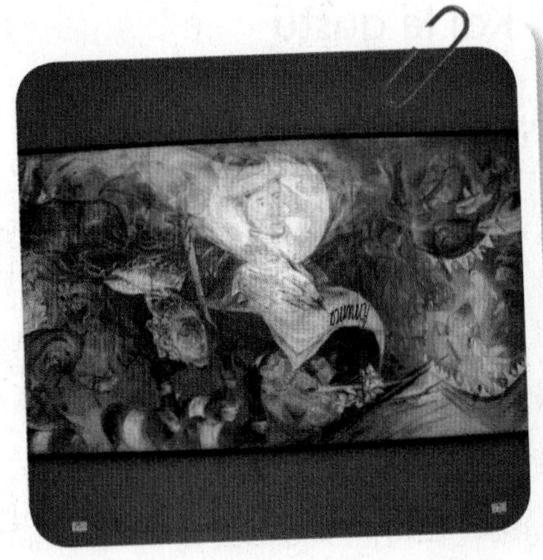

¿Qué recuerdas?

A. ¿Cierto o falso? Comunicación

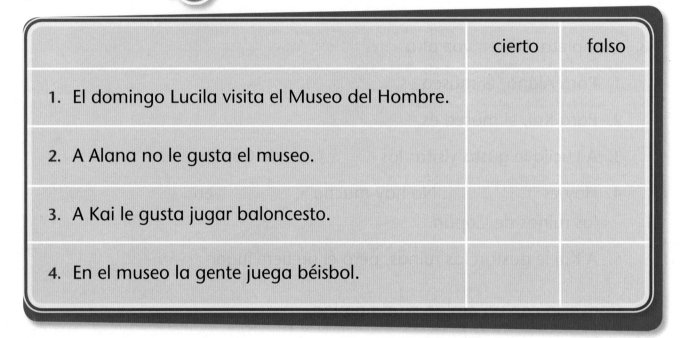

	cierto	falso
1. El domingo Lucila visita el Museo del Hombre.		
2. A Alana no le gusta el museo.		
3. A Kai le gusta jugar baloncesto.		
4. En el museo la gente juega béisbol.		

B. Escoge. Lee en voz alta.

visitar visitan jugar gusta

1. Alana y Kai ________ el museo.
2. A Alana le gusta ________ las ruinas.
3. A Kai le gusta ________ baloncesto.
4. A Lucila y a Alana les ________ el museo.

Alana visita el museo.

Las actividades de la semana

A. Escucha y repite.

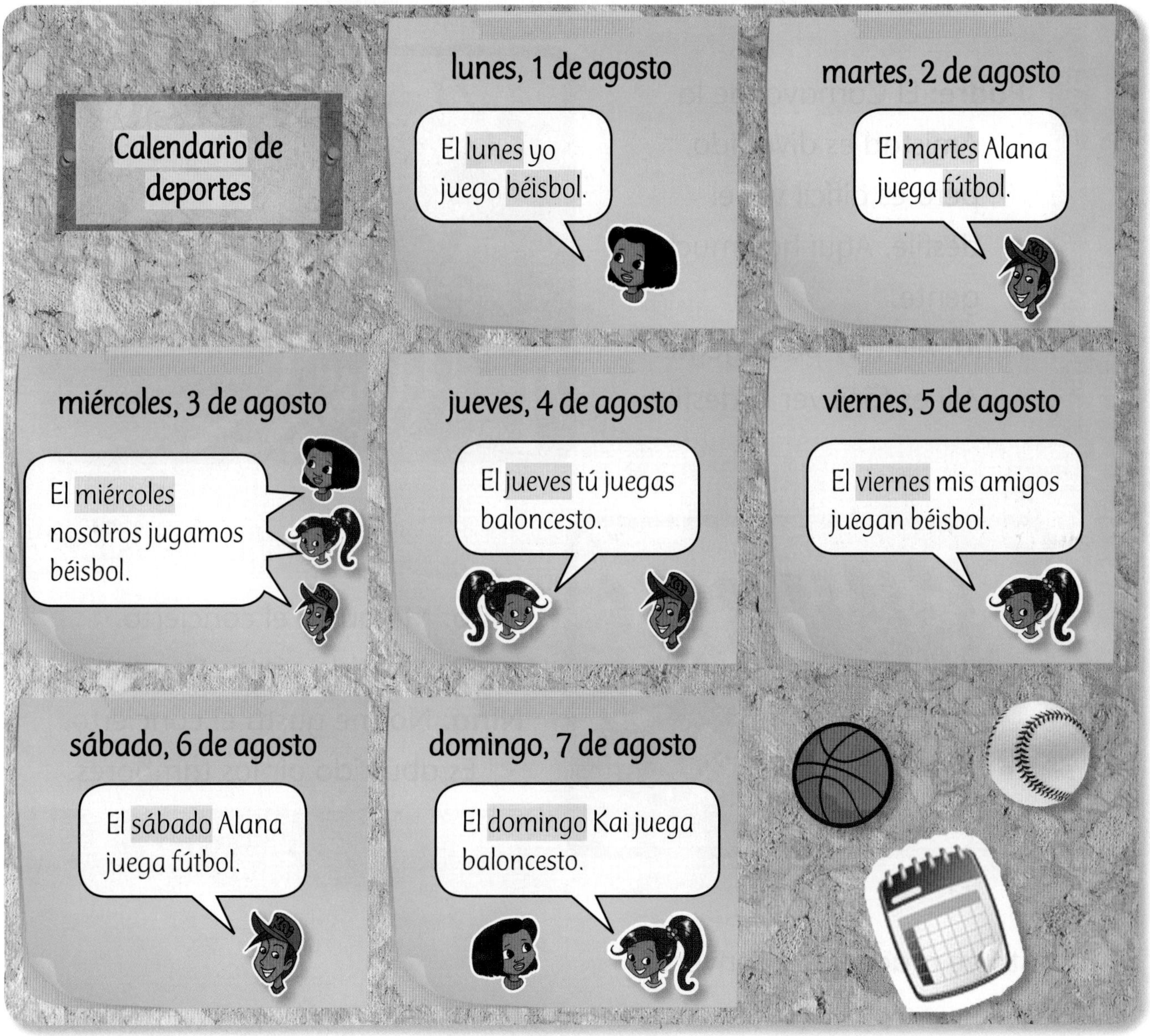

Calendario de deportes
lunes, 1 de agosto
El lunes yo juego béisbol.
martes, 2 de agosto
El martes Alana juega fútbol.
miércoles, 3 de agosto
El miércoles nosotros jugamos béisbol.
jueves, 4 de agosto
El jueves tú juegas baloncesto.
viernes, 5 de agosto
El viernes mis amigos juegan béisbol.
sábado, 6 de agosto
El sábado Alana juega fútbol.
domingo, 7 de agosto
El domingo Kai juega baloncesto.

B. Conversa con un amigo o una amiga.

El lunes yo juego...

El miércoles nosotros jugamos...

El sábado mis amigos juegan...

El Carnaval de la Amistad

A. Escucha y repite.

Padre: El Carnaval de la Amistad es divertido, pero es difícil ver el desfile. Aquí hay mucha gente.

Niña: Allí hay poca gente. Allí es fácil ver el desfile.

Niño: Me gusta el concierto. Es divertido oír las trompetas.

Niña: No me gusta el concierto. Es aburrido oír los tambores.

B. Construye oraciones y conversa.

El carnaval	es fácil.
Ver el desfile	es difícil.
Oír las trompetas	es aburrido.
Oír los tambores	es divertido.

Repasa

- los pasatiempos

Aplica

1. ¿Qué pasatiempos tienen los niños hondureños?
2. ¿Qué pasatiempos tienes tú?
3. ¿Cuáles son los días de la semana?
4. ¿Qué pasatiempo es divertido?
5. ¿Qué pasatiempo es aburrido?

¡Tocar la trompeta es divertido!

¡A escribir!

Tema: Los pasatiempos

PLANIFICA
ESCRIBE
REVISA
PRESENTA

semana 2

La escuela

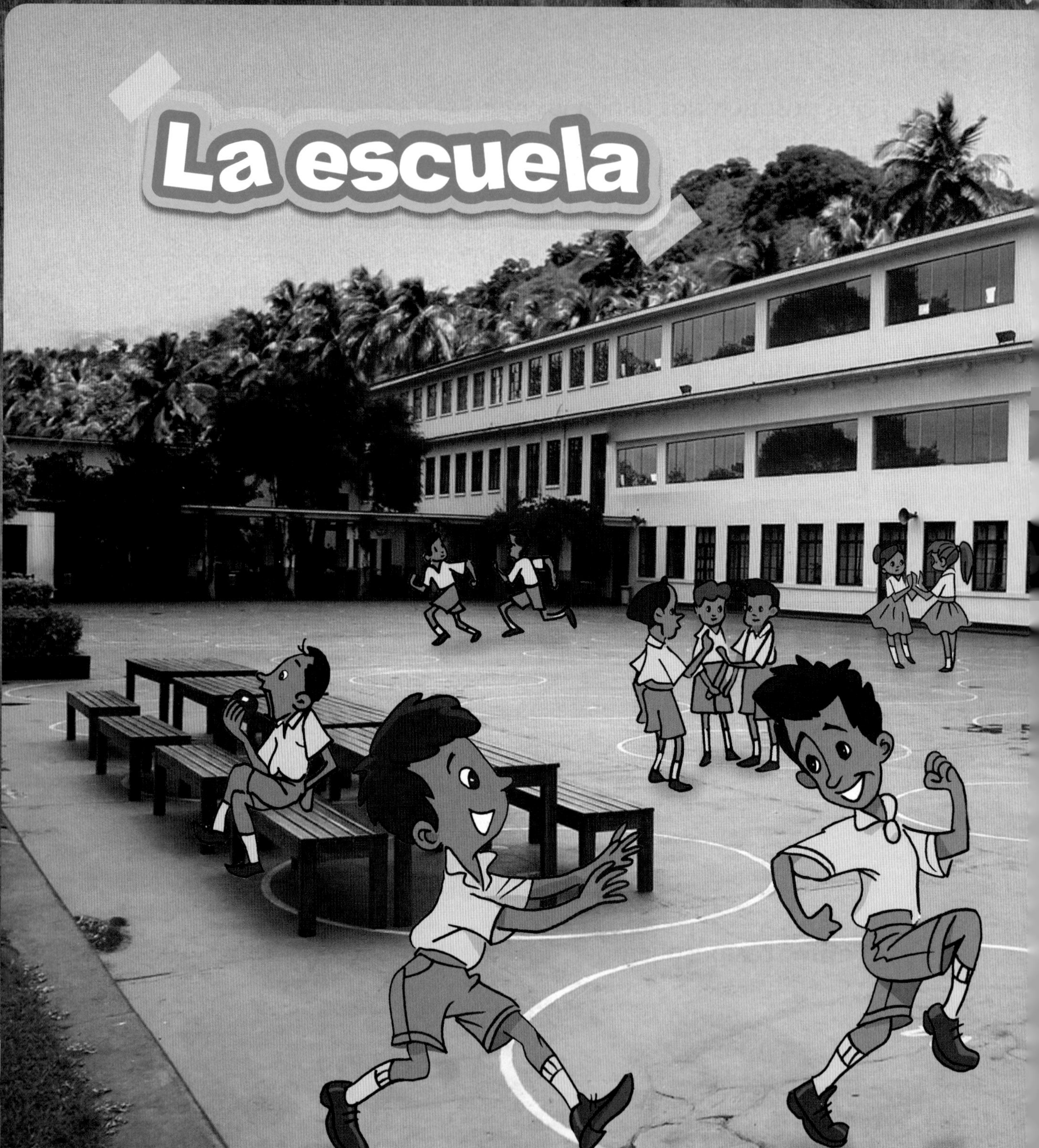

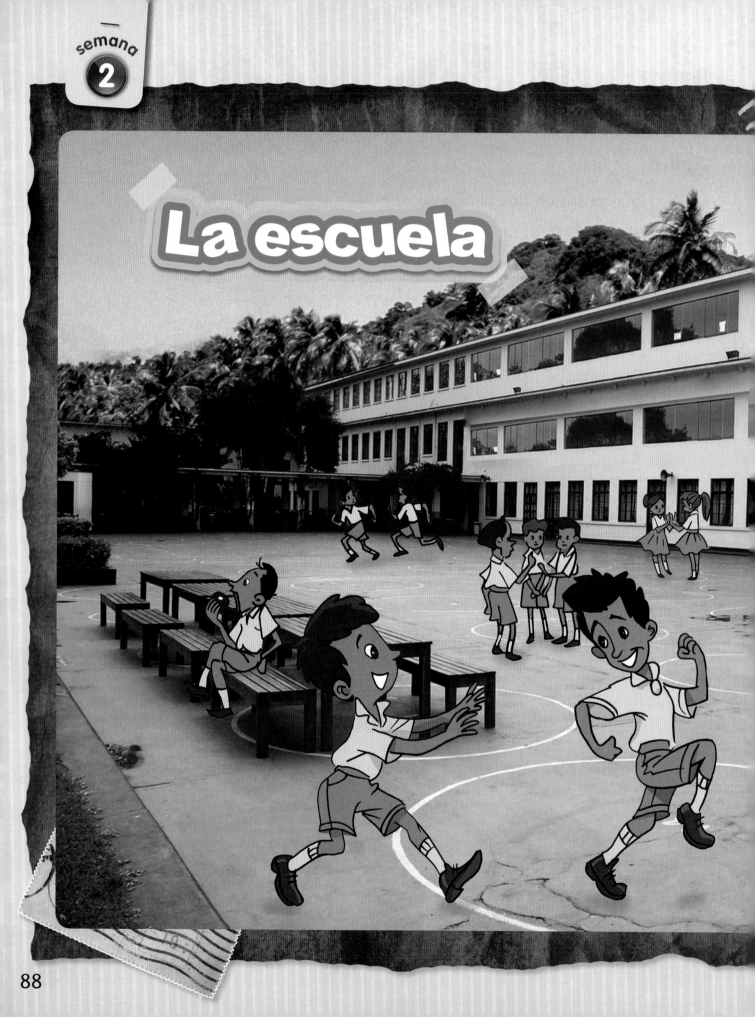

¿Con quién juegas?

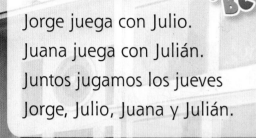

Jorge juega con Julio.
Juana juega con Julián.
Juntos jugamos los jueves
Jorge, Julio, Juana y Julián.

Patio de la escuela de Lucila

Yo juego a las escondidas con Jorge y Julián.

Yo juego a las carreras con Lucila y Julio.

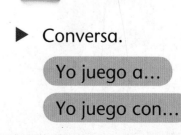

▶ Conversa.

Yo juego a...

Yo juego con...

Un día en la escuela

Por la mañana, yo saludo a mis compañeros y organizo mis útiles escolares.
¡Hola, Lucila!
En las clases, yo uso lápices, reglas y libros.
Primero, yo estudio matemáticas.
Después, yo estudio ciencias sociales.
Al mediodía, yo almuerzo en la cafetería.
12:00
Por la tarde, yo estudio español. ¡Me gusta la clase de español!

A. Escucha y repite.

compañeros	matemáticas	por la mañana
reglas	lápices	por la tarde

B. Completa. Lee en voz alta.

1. En la escuela yo uso ______, ______ y libros.
2. ______, yo saludo a mis ______ de la escuela.
3. Mi primera clase es ______.
4. Yo estudio español ______.

C. Conversa sobre las actividades en la escuela.

Por la mañana...

Al mediodía...

Por la tarde...

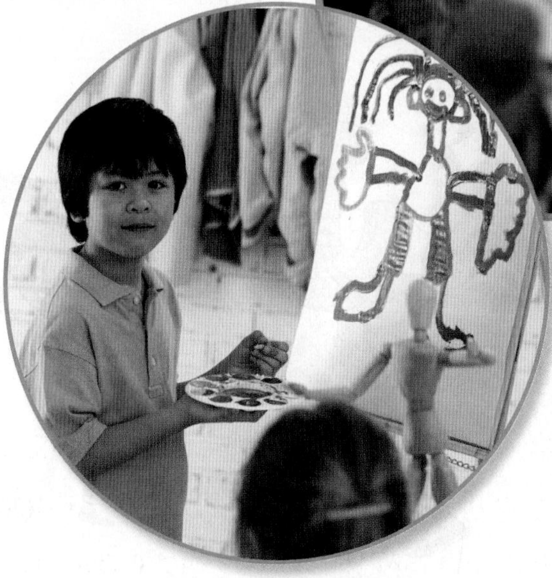

La gente joven

A. Escucha y repite.

La gente estudia geografía
El gemelo es generoso.

La gente estudia geografía.
El gemelo es generoso.

Gisela hace gimnasia en el gimnasio.
El girasol es gigante

Gisela hace gimnasia en el gimnasio.
El girasol es gigante.

La jirafa es joven.
Los jueves jugamos juegos juntos.

La jirafa es joven.
Los jueves jugamos juegos juntos.

B. Escucha y completa con *g* o *j*.

1. g igante
2. j oven
3. j uegos
4. g emelo
5. j irafa
6. g irasol

C. Lee las palabras. Compara los sonidos.

1. genio

2. gigante

3. general

4. jirafa

5. gelatina

D. Une y conversa.

El gemelo	es generoso.
El girasol	es gigante.
La jirafa	es joven.

Las matemáticas de los mayas

A. Escucha y repite.

El calendario maya tiene 365 días.

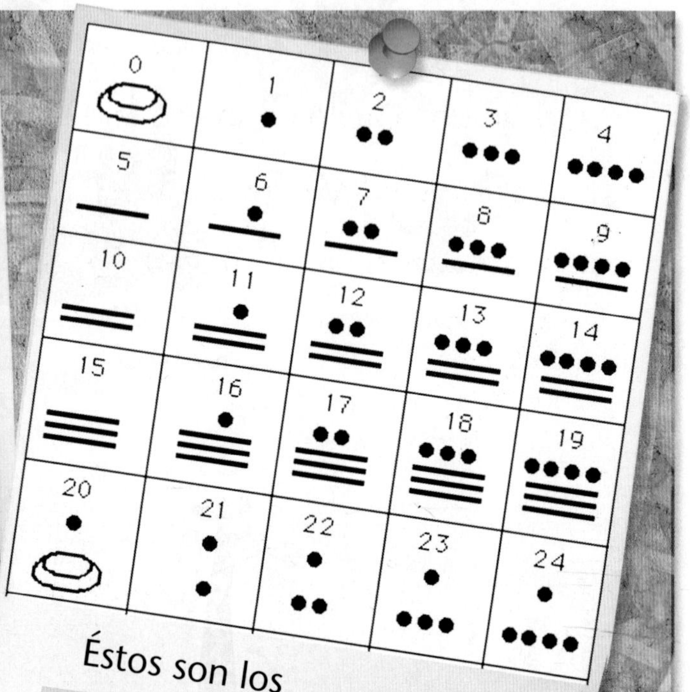
0
1
2
3
4
5
6
7
8
9
10
11
12
13
14
15
16
17
18
19
20
21
22
23
24

Éstos son los números mayas.

B. Completta.

número matemáticas calendario

1. Los mayas tienen un ________ de 365 días.
2. •• es un ________ maya.
3. Las ________ son importantes para los mayas.

C. Escribe y conversa.

1. ¿Cómo se escribe doce (12) en maya?
2. ¿Cómo se escribe la fecha de hoy en maya?

Repasa

- las actividades en la escuela

Aplica

1. ¿Qué actividades hace Lucila en la escuela?
2. ¿Qué usa Lucila en la escuela?
3. ¿Qué actividades haces tú en la escuela?
4. ¿Qué usas tú en la escuela?

En la escuela yo estudio matemáticas. Yo uso un libro y un lápiz.

¡A escribir!

Comunicación

Tema: Los pasatiempos

PLANIFICA
ESCRIBE
REVISA
PRESENTA

Las actividades culturales

Hola, Ernesto. ¿Te divierte tocar la trompeta?
Sí, me divierte. Y a ti, ¿te divierte leer libros?
Sí, me divierte.

¿Qué te divierte?

Comunicación

Plaza Morazán en Tegucigalpa

Me divierte tocar la trompeta.

Me divierte leer libros.

▶ Conversa.

Me divierte...

Las clases de guitarra

Comunicación

Lucila: ¿Qué te gusta hacer por la tarde, después de la escuela?

Juan: Después de la escuela me gusta tocar la guitarra.

Lucila: ¿Es divertido tocar la guitarra?

Juan: ¡Sí, es muy divertido! Te invito a mi clase de guitarra.

Alana: ¡Qué bien toca la guitarra Juan! ¿Quieres tocar la guitarra como él?

Lucila: Sí, yo quiero tocar la guitarra como Juan.

Alana: Habla con el maestro.

Alana: ¡Qué bonito concierto! Tocas muy bien la guitarra.

Juan: Gracias.

Lucila: ¿Es difícil tocar la guitarra?

Maestro: No, no es muy difícil. Es fácil. Yo te enseño.

Lucila: Gracias.

A. Escucha y repite.

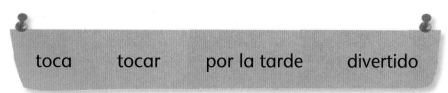

toca tocar por la tarde divertido

B. Completa. Lee en voz alta.

1. Después de la escuela a Juan le gusta ______ la guitarra.
2. Juan tiene clase de guitarra ______.
3. ¡Qué bien ______ la guitarra Juan!
4. Tocar la guitarra es ______.

C. Conversa con un amigo o una amiga.

1. ¿Tocas algún instrumento? ¿Cuál?

Yo toco...

2. ¿Qué actividad es fácil?

Es fácil...

3. ¿Qué actividad es difícil?

Es difícil...

¿Es divertida tu clase de música?
¡Sí, es muy divertida!

¡Qué divertido!

A. Lee, escucha y repite.

Lina: ¿Tocas el tambor con la banda?

José: Sí, yo toco el tambor. Hoy tengo un concierto.

Lina: ¡Qué divertido!

José: ¡Me divierte mucho tocar el tambor con la banda!

José: ¿Qué te divierte?

Lina: Me divierte jugar baloncesto. ¿Quieres jugar después del concierto?

José: Sí, quiero jugar, pero no puedo. Tengo que estudiar.

Lina: Otro día jugamos.

José: ¡Adiós!

B. Escoge la oración correcta.

1. a. ¿Tocas el tambor? b. Tocas el tambor!
2. a. ¡Qué divertido! b. Qué divertido?
3. a. ¿Me divierte tocar el tambor? b. ¡Me divierte tocar el tambor!

C. Escucha las palabras. ¿Son similares o diferentes?

1. fútbol
2. televisión
3. concierto
4. películas
5. tambores
6. guitarra

D. Ordena las palabras. Lee las oraciones en voz alta.

1. ¡Es jugar divertido fútbol!

2. divertido ver ¡Es la televisión!

3. un concierto? oír ¿Te divierte

4. películas? divierte ver ¿Te

Una invitación

A. Lee la invitación.

> Hola, Alana y Kai:
>
> Los invito a una celebración en mi comunidad. Yo toco la guitarra en un concierto en la escuela. El concierto es el miércoles en el gimnasio.
>
> Hasta luego,
>
> José

B. Escoge la palabra. Lee la oración en voz alta.

celebración	invitación	guitarra
concierto	gimnasio	

1. José toca la ________.
2. José toca la guitarra en un ________.
3. El concierto es en el ________ de la escuela.
4. Alana y Kai van a una ________ en la comunidad de José.
5. Alana y Kai leen la ________ para el concierto.

C. Compara y conversa.

1. ¿Cómo invitas a un amigo o una amiga a una celebración en tu comunidad?
2. ¿Qué celebran en Honduras?
3. ¿Qué celebras en tu comunidad?

Repasa

- las actividades culturales
- las actividades en la escuela y la comunidad

Aplica

▶ Conversa con un amigo o una amiga.

1. ¿Qué actividades te gusta hacer en la escuela?
2. ¿Qué actividades te gusta hacer por la tarde, después de la escuela?

Me gusta escuchar un concierto.

¡A escribir!

Tema: Los pasatiempos

PLANIFICA
ESCRIBE
REVISA
PRESENTA

La hora

Lucila, ¿qué haces por la tarde?
Por la tarde yo juego tenis.
¿A qué hora es tu partido?
Mi partido es a las cuatro de la tarde.

¿Qué haces?

Comunicación

Interior de la escuela de Lucila

Por la mañana yo voy a la escuela y por la tarde yo juego tenis. Y tú, ¿qué haces?

▶ Conversa.

Por la mañana, yo...

Por la tarde, yo...

Una página web

Archivo Editar Herramientas Ventana Ayuda

Horario de actividades

Por la mañana

8:00 am — Clase de lenguaje

10:00 am — Clase de matemáticas

Por la tarde

1:00 pm — Clase de ciencias

2:00 pm — Clase de español

4:00 pm — Clase de guitarra

Por la noche

7:00 pm — Partido de baloncesto

Cargando...

A las ocho de la mañana, yo tengo clase de lenguaje.

A las dos de la tarde, yo tengo clase de español.

A las siete de la noche, yo tengo un partido de baloncesto.

A. Escucha y repite.

08:00 AM
10:00 AM
02:00 PM
04:00 PM
07:00 PM

ocho diez dos cuatro siete

B. Completa. Lee en voz alta.

1. A las ________, tengo clase de lenguaje.
2. A las ________, tengo clase de matemáticas.
3. A las ________, tengo partido de baloncesto.
4. A las ________, tengo clase de guitarra.
5. A las ________, tengo clase de español.

C. Conversa con un amigo o una amiga.

1. Por la mañana:

   A las ocho de la mañana, yo…

2. Por la tarde:

   A las dos de la tarde, yo…

3. Por la noche:

   A las siete de la noche, yo…

Y tú, ¿qué actividades tienes?

La hora

A. Escucha y repite. Comunicación

1 uno	2 dos	3 tres	4 cuatro	5 cinco	6 seis
7 siete	8 ocho	9 nueve	10 diez	11 once	12 doce

B. Escucha y repite. Compara. Comparaciones

1:00	2:00	3:00	4:00	5:00	6:00
la una	las dos	las tres	las cuatro	las cinco	las seis
7:00	8:00	9:00	10:00	11:00	12:00
las siete	las ocho	las nueve	las diez	las once	las doce

C. Une.

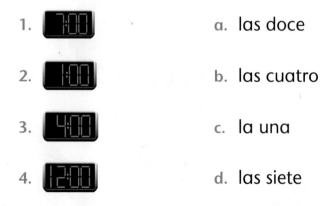

1. 7:00 — a. las doce

2. 1:00 — b. las cuatro

3. 4:00 — c. la una

4. 12:00 — d. las siete

D. Escucha y repite.

Son las seis de la mañana.

Es la una de la tarde.

Son las cuatro de la tarde.

Son las siete de la noche.

E. Escoge. Lee en voz alta.

1. (Es / Son) las nueve de la mañana.
2. (Es / Son) las tres de la tarde.
3. (Es / Son) la una de la tarde.
4. (Es / Son) las ocho de la noche.

F. Une y conversa con un amigo o una amiga.

Es Son	la una las ocho las cinco las nueve	de la mañana. de la tarde. de la noche.

Las cartas y los correos

A. Lee, escucha y repite.

Ana: Yo uso la computadora para escribir correos electrónicos.
Lisa: Mi amiga usa una computadora para escribir.

Pablo: Yo uso el lápiz para escribir cartas.
Luis: Mi amigo usa un lápiz para escribir.

B. Escoge. Completa el correo electrónico.

la un el una

Correo Electrónico

Hola, Pablo:

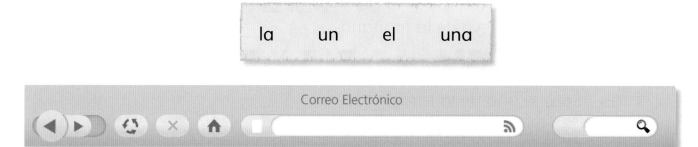

___ lunes por ___ mañana tengo clase de español con la señora Sánchez. Ella es ___ buena maestra. Después tengo ___ partido de fútbol con mis amigos. ¿Qué actividades tienes el lunes?

Saludos,

Ana

Repasa

- los pasatiempos
- la escuela
- las actividades culturales
- la hora

Aplica

1. ¿Qué actividades haces por la mañana, en la escuela? ¿A qué hora?
2. ¿Qué actividades haces por la tarde, después de la escuela? ¿A qué hora?

Por la mañana yo voy a la escuela. A las ocho estudio español.

¡A escribir!

Tema: Los pasatiempos

PLANIFICA
ESCRIBE
REVISA
PRESENTA

Unidad 4

Los animales

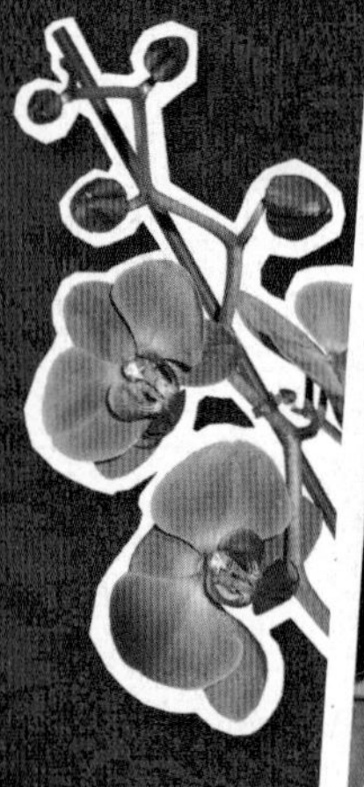

DIEZ MIL
PESOS
62105227

Voy a aprender sobre...

- las mascotas.
- los animales del zoológico.
- los animales de la granja.
- los animales de la selva.

PANAMÁ
VENEZUELA
COLOMBIA
ECUADOR
PERÚ
BOLIVIA
PARAGUAY

Descubre Colombia

Culturas

semana 1

Las mascotas

¡Hola, Pedro y Paola! ¿Cómo se llaman sus mascotas?
Mi hámster se llama Tato. Él es pequeño y suave.
Mi perra se llama Palma. Ella es grande y peluda.

¿Qué mascota tienes?

Comunicación

¡Peligro!

Parque Simón Bolívar en Bogotá

Yo tengo una tortuga.
Yo tengo un hámster.
Yo tengo una perra.
Yo tengo un gato.

▶ Conversa.

Yo tengo...

Mi mascota se llama...

Así son las mascotas

¡Tiene muchos animales!
Tengo mascotas grandes y pequeñas.
pájaros
hámsters
perros
gatos
peces
conejos
tortugas
Los niños visitan una tienda de mascotas.

El perro blanco es pequeño y muy lento.
El perro negro es grande y muy rápido.
Pedro y Paola cuidan a los perros de otras personas.

Plaza de Bolívar en Bogotá

A. Escucha y repite. Identifica el animal.

mascotas	conejo	pájaro
tortuga	peces	hámster

1. 

2. 

3. 

4. 

5. 

6. 

B. Completa. Lee en voz alta.

cuidan rápido lento grandes pequeños

1. El perro grande es ______ y el pequeño es ______.
2. Pedro y Paola ______ perros ______ y ______.

C. Conversa con un amigo o una amiga.

1. ¿Qué animales tienen en la tienda de mascotas?
2. ¿Cómo son los perros que cuidan Paola y Pedro?

¿Qué recuerdas?

A. Escoge. Comunicación

1. ¿Cómo es el perro blanco?

a. rápido   b. pequeño   c. grande

2. ¿Cómo es el perro negro?

a. grande   b. lento   c. pequeño

B. Une los opuestos. Comparaciones

1. blanco 

a. rápido 

2. lento 

b. negro 

3. grande 

c. pequeño 

¿Qué te gusta?

A. Escucha y repite.

¿Te gustan los perros o los gatos?
Me gustan los perros y los gatos.

¿Te gusta más el pájaro o el hámster?
Me gustan igual el pájaro y el hámster.

¿Quieres el conejo y el pez?
Quiero el conejo o el pez. No quiero los dos.

B. Escoge. Lee en voz alta.

1. Pedro tiene un hámster ____ Paola tiene una perra.

   a. y b. o

2. ¿Es eso un gato ____ un hámster?

   a. y b. o

3. Quiero comprar un conejo ____ un pez. No quiero los dos.

   a. y b. o

4. Vendemos gatos, conejos, perros, pájaros ____ peces.

   a. y b. o

Pájaros de Colombia

A. Escucha y repite. Culturas

PÁJAROS
PECES
HAMSTER
PAJAROS
CACHORRO
TODAS
AS RAZAS
PLEMENTOS
¿Es un pájaro?
Sí, es un loro.
¿Cómo son los loros?
Los loros son verdes.
Éstos se llaman
pericos cara sucia.

B. Conversa.

1. ¿Cómo es el loro?
   El loro es...

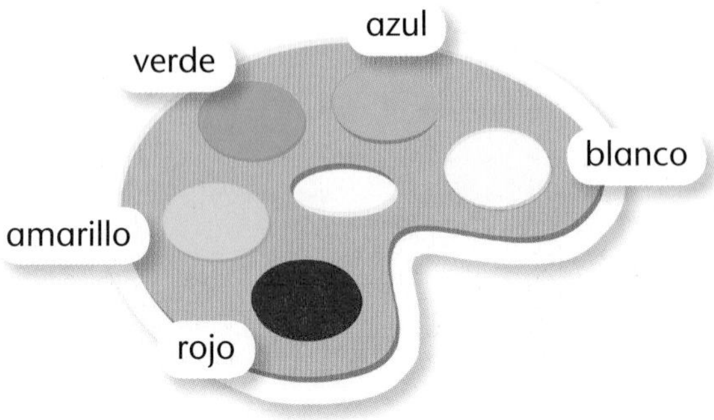
verde
azul
blanco
amarillo
rojo

2. ¿Cómo son los pájaros?
   Los pájaros son...

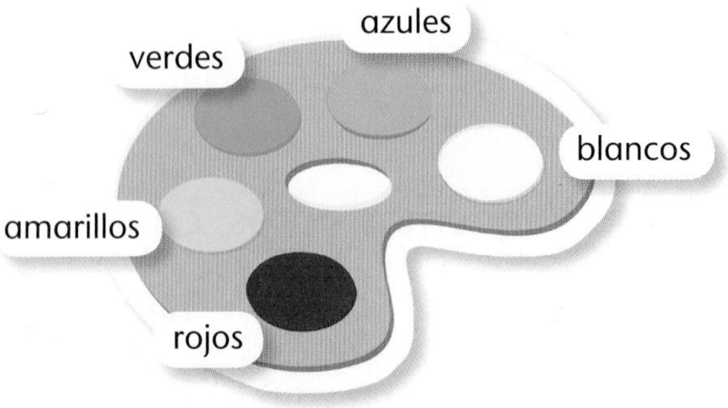
verdes
azules
blancos
amarillos
rojos

Repasa

- las mascotas

Aplica

1. ¿Qué mascotas te gustan?
2. ¿Cómo son las mascotas que te gustan?

Me gustan los perros. Palma es una perra grande y rápida.

¡A escribir!

Tema: Los animales

PLANIFICA
ESCRIBE
REVISA
PRESENTA

Los animales del zoológico

Yo me balanceo.

Zoológico Santa Cruz en Bogotá

¿Qué ves en el zoológico?

Comunicación

Comunidades

Un elefante se balanceaba
sobre la tela de una araña.
Como veía que resistía
fue a buscar a otro elefante.

Dos elefantes se balanceaban
sobre la tela de una araña.
Como veían que resistía
fueron a buscar otro elefante.

illa
TAQUILLA
ENTRADA
Yo veo jirafas y elefantes.
Yo veo monos y pájaros.
ZOO
MAPA

- Conversa.
  - Imagina que vas al zoológico con tu clase.

    En el zoológico veo...

Vamos al zoológico

Sección de aves
guacamayo
cóndor
cabeza
alas
patas
cigüeña
Sección de mamíferos
jaguar
llama
mono tití

Hoy Paola y Pedro están en el zoológico con su clase.
Primero, visitan las aves. El cóndor es blanco y negro.
Los guacamayos son de muchos colores.
Luego, Pedro visita una cigüeña. La cigüeña tiene una cabeza, dos patas, un tronco y dos alas. Las patas de la cigüeña son largas.
Después, Paola y Pedro visitan al jaguar y la llama. Ellos aprenden que el hábitat de las llamas es la cordillera de los Andes.
Por último, todos visitan a los monos titís. ¡Qué rápidos son!
Su hábitat es la selva y están en peligro de extinción.

A. Escucha y repite.

guacamayos	aves	cigüeña
cóndor	alas	monos

B. Completa. Lee las oraciones en voz alta.

1. Paola y Pedro visitan el zoológico. Primero, visitan las ________.
2. El ________ de los Andes es blanco y negro.
3. Los ________ son de muchos colores.
4. Las partes de una ________ son: cabeza, tronco, patas y ________.
5. Los ________ titís son muy rápidos.

C. Conversa con un amigo o una amiga.

- Imagina que visitas el zoológico en Bogotá con Alana y Kai.
    1. ¿Qué animales ves primero?
    2. ¿Qué animales ves después?
    3. ¿Qué animales ves por último?

mono

jaguar

¿Cómo son los animales?

A. Escucha y repite.

pe-ces

ci-güe-ña

ca-sa

pla-za

B. Completa y lee en voz alta.

plaza casa cigüeña peces

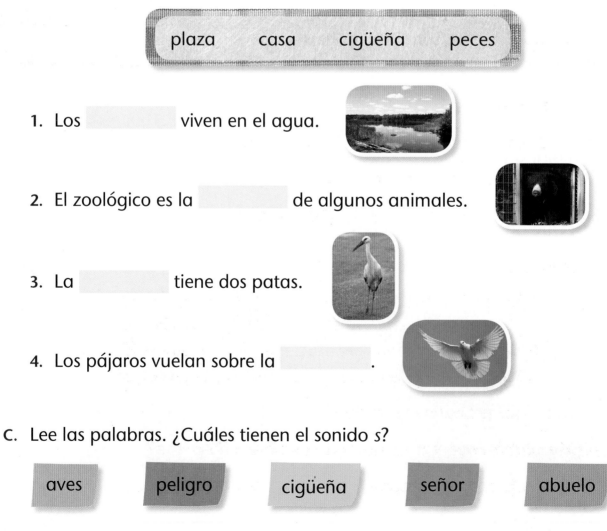

1. Los _______ viven en el agua.

2. El zoológico es la _______ de algunos animales.

3. La _______ tiene dos patas.

4. Los pájaros vuelan sobre la _______.

C. Lee las palabras. ¿Cuáles tienen el sonido *s*?

aves peligro cigüeña señor abuelo

D. Escucha y repite.

1. naturaleza

2. zoológico

3. zorrillo

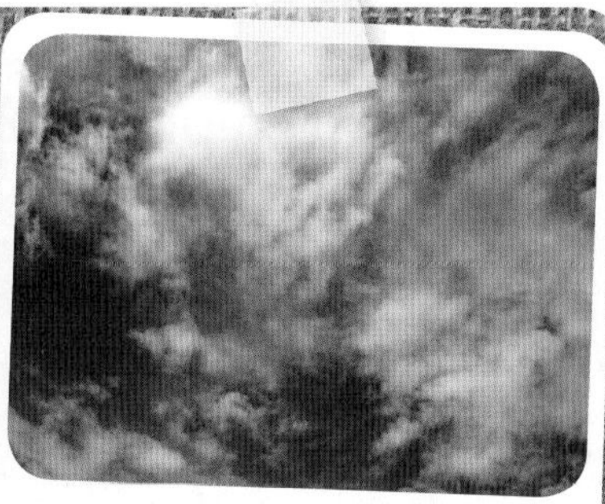

4. azul

5. zorro

E. Escribe y conversa.

1. ¿Cuáles son las vocales en la palabra *naturaleza*?
2. ¿Qué palabras tienen el sonido *s*?
3. Escribe una oración con la palabra *zoológico*.

F. Lee y conversa.

zoológico	sábado	casa	cierto
comer	cerca	gato	abuelo

1 ¿Qué palabras tienen el sonido *s*?

2. ¿Qué palabras suenan como *s* y se escriben con *ce* o *ci*?

3. ¿Qué palabras suenan como *s* y se escriben con *z*?

La naturaleza y los animales

A. Escucha y repite.

La tortuga de río está en peligro de extinción en Colombia.

El chigüiro es de Suramérica. Es el roedor más grande del mundo.

B. Completa. Lee en voz alta.

1. La ________ de río está en ________ de extinción.
2. El ________ es un animal de Suramérica.
3. Los niños de Colombia cuidamos la ________.
4. Los ________ son parte de la naturaleza.

C. Conversa.

1. ¿Qué animales están en peligro de extinción en Colombia y en otros países?
2. ¿Cuidas tú la naturaleza y los animales?

En Colombia, los niños cuidamos la naturaleza. También cuidamos a los animales en peligro de extinción.

Repasa

- los animales del zoológico

Aplica

▶ Imagina que vas al zoológico de Bogotá con Paola y Pedro.

1. ¿Qué animales de Colombia ves?
2. ¿Qué animales están en peligro de extinción?
3. ¿Qué animales puedes ver en el zoológico de tu ciudad?

En el zoológico de Chicago veo...

¡A escribir!

Tema: Los animales

Comunicación
Planifica
Escribe
Revisa
Presenta

semana 3

Los animales de la granja

Bienvenidos a mi granja.
Me gustan los toros y las vacas.
Me gustan los caballos.
Me gustan los terneros.
¡Yo quiero alimentar al ternero!

¿Qué haces en la granja?

Comunicación

Granja en Colombia

Yo alimento al ternero.
Yo cuido a la vaca.
Hoy visitamos una granja en Colombia.

▶ Conversa.

En la granja yo...

Una visita a la granja

gallina
pavo
faisán
pollitos

Gonzalo: Aquí tenemos gallinas, pollitos, pavos y faisanes.

Paola: ¿Las gallinas vuelan?

Gonzalo: Las gallinas no vuelan.

Paola: ¿Las gallinas ponen huevos?

Gonzalo: Sí, ellas ponen muchos huevos.

Paola: ¡Yo quiero vivir en una granja! Quiero tener muchos animales y huevos frescos.

Alana: ¿Qué tiene la oveja?

Veterinaria: Está enferma y triste. No come mucho. ¿Quieres tocar a la oveja?

Alana: ¡Sí! ¡Es tan suave!

A. Escucha y repite.

gallinas	huevos	granja	vuelan
ponen	enferma	quiere	triste

B. Completa. Lee en voz alta.

1. En esta ________ hay ________, faisanes, pollitos y pavos.
2. Las gallinas no ________.
3. Las gallinas ________ muchos ________.
4. La oveja está ________ y ________.
5. Alana ________ tocar una oveja.

C. Conversa con un amigo o una amiga.

1. ¿Qué animales viven en la granja?
2. ¿Cómo son los animales de la granja?

¿Cómo son los animales de la granja?
El caballo es grande y rápido. La oveja es…

Los animales y nosotros

A. Escucha y repite. Comunicación

Anita: ¿Quién cuida a los animales de la granja?
Paola: El granjero cuida y alimenta a los animales.
Anita: ¿Qué hacen los animales de la granja?
Pedro: Las gallinas ponen huevos.
Paola: Las vacas dan carne y leche.
Pedro: Las cabras también dan leche.
Anita: ¡Me gusta más la leche de vaca!

B. Compara y conversa.

1. ¿Quién alimenta a los animales de la granja?
2. ¿Qué hacen los animales de la granja?
3. ¿Qué hace el granjero?

C. Lee. Identifica ¿quién? y ¿qué hace?

Ejemplo: La gallina come maíz.
¿quién? ¿qué hace?

1. La cabra da leche.
2. La vaca da leche y carne.
3. Las ovejas comen pasto.
4. El ternero vive en la granja.

maíz

pasto

D. Une y conversa.

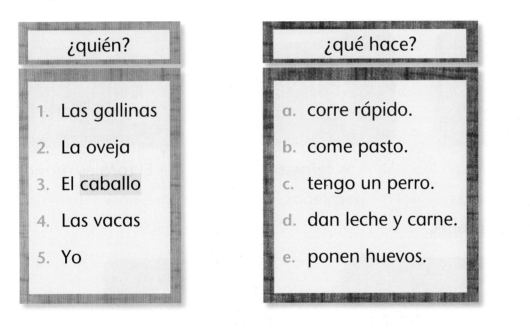

¿quién?	¿qué hace?
1. Las gallinas	a. corre rápido.
2. La oveja	b. come pasto.
3. El caballo	c. tengo un perro.
4. Las vacas	d. dan leche y carne.
5. Yo	e. ponen huevos.

E. Lee el párrafo. Completa la tabla.

Mis abuelos tienen una granja. Yo cuido a los animales. Gonzalo alimenta a las aves. Nosotros peinamos a los caballos.

¿quién?	¿qué hace?

Así son los animales

A. Escucha e identifica las palabras que describen a los animales.

Comunicación

1. La gallina marrón está en la granja.
2. La vaca es grande y da leche.
3. Los pollitos son pequeños y amarillos.

B. Lee e identifica las palabras que describen.

1. En la granja hay gallinas blancas, negras y marrones.

2. Los terneros son pequeños.

3. El toro es grande.

4. Los pavos reales son hermosos.

5. La oveja es suave.

C. Compara.

Comparaciones

- Compara los animales de granja de Colombia y los animales de granja de Estados Unidos. Usa palabras que describen.

Repasa

- los animales de granja
- las palabras que describen a los animales

Aplica

▶ Imagina que trabajas en una granja.

1. ¿Qué animales cuidas?
2. ¿Cómo los cuidas?
3. ¿Cómo son los animales de granja?

Yo cuido a las vacas.
Las vacas son...

¡A escribir!

Tema: Los animales

PLANIFICA
ESCRIBE
REVISA
PRESENTA

semana 4

Los animales de la selva

Y la iguana tomaba café…
Tomaba café a la hora del té…

¿Qué animal soy?

Comunicación

Conexiones

La iguana y el perezoso

Había una vez una iguana
con una ruana de lana
peinándose la melena
junto al río Magdalena.

Y la iguana tomaba café,
tomaba café a la hora del té,
tomaba café a la hora del té.

Llegó un perezoso caminando
en pijama y bostezando;
le dio un empujón a doña iguana
y la lanzó de cabeza al agua.

Río Magdalena

¿Eres una iguana o un perezoso?
Soy una iguana.

▶ Conversa.

- Imagina que eres un animal de la selva.

  Yo soy...

Un videojuego

Las aventuras de Juana la iguana y Tito el tití

START
PAUSE

Juana la iguana vive en la selva.

Tito el tití es su mejor amigo. Ayúdalos a buscar comida por toda la selva.

A
B
D
C
START
PAUSE

Juana la iguana y Tito el tití deben cruzar el río. Hay cocodrilos y pirañas.

Ayúdalos a llegar al otro lado del río sin caer al agua.

A
B
C
START

Acompaña a los dos amigos en sus aventuras.

¿Listos? ¡Vamos!

Usa los controles para jugar.

A. Escucha y repite.

comida	aventuras	llegar
iguana	cruzar	selva

B. Completa. Lee las oraciones.

1. Juana la ______ y Tito el tití viven en la ______ de Colombia.
2. Juana y su mejor amigo buscan ______.
3. Juana y Tito tienen que ______ el río. Ayúdalos a ______ al otro lado del río.
4. Juana y Tito tienen muchas ______.

C. Conversa con un amigo o una amiga.

1. ¿Quién juega el videojuego?
2. ¿Qué deben hacer Juana la iguana y Tito el tití?
3. ¿Qué animales de la selva te gustan?

Me gustan los cocodrilos.

¿Qué hacen y cómo son?

A. Escucha y repite. Comunicación

Águila: Yo vuelo alto. Cóndor, ¿tú también vuelas?
Cóndor: Sí. Yo vuelo más alto que tú.
Gallinas: El cóndor vuela más alto que el águila.
Guacamayo: Los aviones vuelan más alto que el cóndor.
Gallinas: Nosotras no volamos. ¡Queremos volar!

B. Escoge.

1. El cóndor dice: Yo (vuelo / vuelas) muy alto.
2. Los aviones (volamos / vuelan) muy alto.
3. El águila le pregunta al cóndor: ¿Tú (vuelas / vuelan) también?
4. Nosotras, las gallinas, no (vuelan / volamos).
5. El cóndor (vuela / vuelas) más alto que el águila.
6. Nosotros, los pájaros, queremos (volamos / volar) muy alto.

C. Escucha y repite.

El jaguar es rápido.

El perezoso es lento.

El delfín es grande.

Los monos titís son pequeños.

La iguana es verde.

D. Construye oraciones. Conversa con tus compañeros.

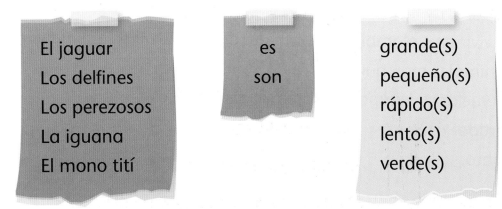

El jaguar	es	grande(s)
Los delfines	son	pequeño(s)
Los perezosos		rápido(s)
La iguana		lento(s)
El mono tití		verde(s)

El veterinario

A. Lee. Identifica las oraciones con *o* y las oraciones con *y*.

El veterinario cuida a las mascotas, a los animales de la granja y a los animales de la selva. Él cuida a los animales cuando están sanos o cuando están enfermos. El veterinario cuida a animales grandes y a animales pequeños. El trabajo de un veterinario puede ser fácil o difícil, ¡pero siempre es importante!

veterinario

B. Conversa con un amigo o una amiga.

1. ¿Qué animales cuida el veterinario?
2. ¿Cuándo es importante el trabajo del veterinario?

C. Lee y escoge.

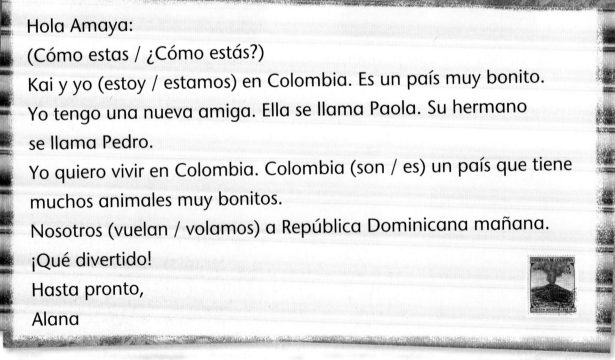

Hola Amaya:
(Cómo estas / ¿Cómo estás?)
Kai y yo (estoy / estamos) en Colombia. Es un país muy bonito.
Yo tengo una nueva amiga. Ella se llama Paola. Su hermano se llama Pedro.
Yo quiero vivir en Colombia. Colombia (son / es) un país que tiene muchos animales muy bonitos.
Nosotros (vuelan / volamos) a República Dominicana mañana.
¡Qué divertido!
Hasta pronto,
Alana

Repasa

- las mascotas
- los animales del zoológico
- los animales de la granja
- los animales de la selva

Aplica

Mi animal favorito es...

1. ¿Qué animales son mascotas?
2. ¿Qué animales viven en la granja?
3. ¿Qué animales viven en la selva?
4. ¿Cuál es tu animal favorito?
5. ¿Cómo es tu animal favorito?

¡A escribir!

Comunicación

Tema: Los animales

PLANIFICA
ESCRIBE
REVISA
PRESENTA

Unidad 5

Nos cuidamos

DIOS PATRIA LIBERTAD
REPÚBLICA DOMINICANA

Voy a aprender sobre…

- la comida.
- los sabores.
- los hábitos saludables.
- las sensaciones.

ISLAS BAHAMAS
ISLAS TURCAS
HAITÍ
REPÚBLICA DOMINICANA
JAMAICA

Descubre República Dominicana

Culturas

semana 1

La comida

Hola, Juan Luis. Tenemos hambre y queremos comer comida de República Dominicana.
¿Les gusta el pescado y el arroz?
¡Sí!

¿Qué comiste ayer?

Comunicación

Mercado en Santo Domingo

Yo comí mango.
Yo comí ñame.
Yo comí yuca.

▶ Conversa.

- Imagina que estás en República Dominicana.

  Yo comí...

En el mercado

Alana: Anoche yo comí carne y pollo. Ahora tengo hambre y quiero comer frutas y verduras.

Kai: Anoche yo bebí refrescos. Hoy quiero beber jugos naturales. Tengo sed.

Juan Luis: Vamos al puesto de don Martín. Él tiene comida sabrosa.

Don Martín: ¡Bienvenidos!

Kai: Quiero beber jugo de mango.

Alana: Quiero comer yuca y ñame con pescado y arroz.

Alana: Ayer Kai y yo fuimos con Juan Luis al mercado.

Mamá: ¿Qué comieron?

Alana: Yo comí pescado y arroz.

Kai: Yo bebí jugo de mango. ¡Me gustó mucho!

A. Escucha y repite.

verduras	carne	pescado	jugos
refrescos	frutas	arroz	pollo

B. Completa.

1. Anoche Alana comió ______ y ______.

2. Ahora Alana quiere comer ______ y ______.

3. Anoche Kai bebió ______.

4. Ahora quiere beber ______ naturales.

5. Ayer en el mercado, Alana Kai y Juan Luis comieron ______ y ______.

C. Conversa con un amigo o una amiga.

- Imagina que comiste en el mercado.
  1. ¿Qué comiste?
  2. ¿Qué bebiste?

¿Qué recuerdas?

A. ¿Cierto o falso?

1. Alana y Kai no quieren comer ni beber.  

2. Soy Alana. Ayer comí carne. 

3. Soy Kai. Ayer bebí leche. 

4. Alana tiene sed. 

5. Kai tiene hambre. 

B. Escoge.

1. Me gustó el mango. a. 

2. Ayer tú comiste pescado. b. 

3. Ayer yo comí verduras. c. 

4. ¿Comiste pollo ayer? d. 

5. Anoche ellos comieron arroz. e. 

¡A poner la mesa!

A. Lee, escucha y repite. Comunicación

arriba
tenedor
vaso
taza
abajo
servilleta
plato
cuchara
cuchillo

B. Escoge.

taza	cuchara	plato	servilleta	vaso

1. La ________ está abajo del tenedor.
2. La ________ está arriba de la cuchara y del cuchillo.
3. La ________ está al lado del cuchillo.
4. El ________ está abajo del vaso.

Platos típicos de República Dominicana

A. Lee, escucha y repite.

Uno de los platos típicos de República Dominicana se llama "la bandera". Tiene muchos ingredientes: arroz, frijoles rojos, carne, ensalada y plátano frito.
Muchos dominicanos comen pescado con coco. Es muy rico.
Los postres dominicanos usan muchas frutas tropicales como la naranja, el coco, la piña y el mango. ¡Todo es delicioso!

B. Escoge.

tropicales	ensalada	plátano	naranja
frijoles	piña	típicos	coco

1. "La bandera", uno de los platos ________ de República Dominicana, tiene arroz, ________ rojos, carne, ________ y ________ frito.
2. Muchas personas de República Dominicana comen pescado con ________.
3. La ________, el coco, la ________ y el mango son frutas ________.

C. Conversa con un amigo o una amiga.

1. De los ingredientes de "la bandera", ¿cuáles te gustan y cuáles no te gustan?
2. ¿Cuáles son los platos típicos de tu país?

Repasa

- la comida
- la mesa
- los platos típicos

Aplica

▶ Imagina que visitas República Dominicana.

1. ¿Qué comen los niños en República Dominicana?
2. ¿Qué comiste ayer?
3. ¿Qué necesitas para poner la mesa?

En el mercado comí pescado y arroz. También bebí un jugo de mango.

¡A escribir!

Comunicación

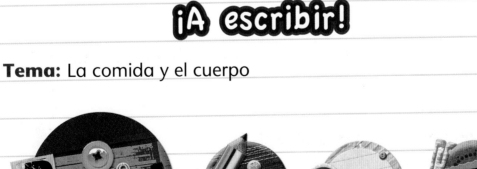

Tema: La comida y el cuerpo

PLANIFICA
ESCRIBE
REVISA
PRESENTA

semana 2

Los sabores

¿Qué helado comiste?

Comunicación

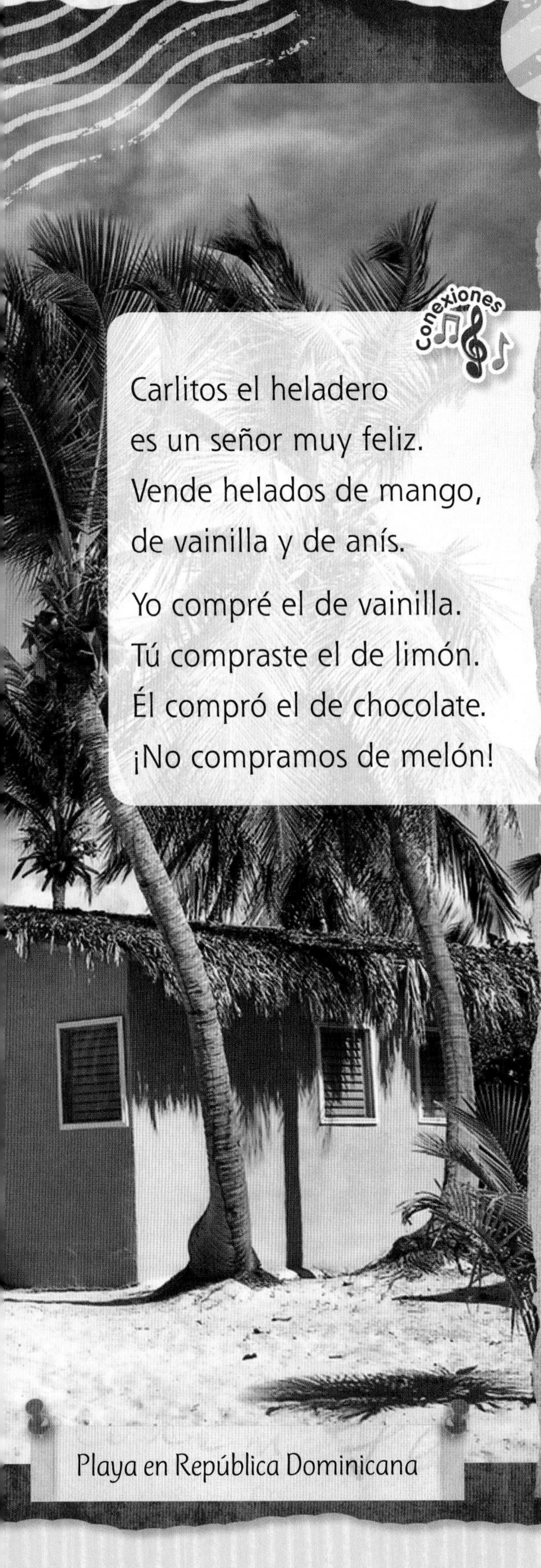

Conexiones

Carlitos el heladero
es un señor muy feliz.
Vende helados de mango,
de vainilla y de anís.

Yo compré el de vainilla.
Tú compraste el de limón.
Él compró el de chocolate.
¡No compramos de melón!

Playa en República Dominicana

Yo comí helado de chocolate.
Yo comí helado de vainilla.
¡Y yo de limón!

▶ Conversa.

- Imagina que comiste un helado.

  Yo comí un helado de...

  Mis helados favoritos son...

Los postres en el restaurante

NORA

Mesera: Señor, aquí está su taza de chocolate caliente. Es una bebida típica dominicana.

Papá: Huele delicioso. ¡Gracias!

Mamá: Mi postre dominicano está muy rico.

Alana: Mi flan de mango está delicioso.

Mamá: Kai, ¿por qué no te comiste todo el helado?

Kai: No quiero comer más. El helado está muy frío y dulce. Además, ya tengo el estómago lleno.

Mamá: Bueno, límpiate la boca y la nariz con la servilleta. ¡Toda tu cara está sucia!

A. Completa.

estómago	caliente	postre	dulce	nariz
rico	flan	boca	cara	frío

1. El papá de Alana bebió una taza de chocolate muy ________.
2. La mamá comió un ________ dominicano muy ________ y Alana comió un ________ de mango.
3. El helado de Kai está muy ________ y ________. Él tiene el ________ lleno.
4. Kai tiene la ________ sucia. La mamá le dice que se limpie la ________ y la ________.

B. Responde.

1. ¿Qué bebió el papá de Alana?
2. ¿Por qué Kai no quiere comer más helado?

C. Conversa con un amigo o una amiga.

1. ¿Qué postre comes en un restaurante dominicano? ¿Es un postre típico? ¿Es rico? ¿Es frío o caliente?
2. ¿Qué postre comes en tu escuela? ¿Es un postre típico? ¿Es rico? ¿Es frío o caliente?

Yo llego a comer

A. Escucha y repite.

1. Alana come yuca con cuchillo y tenedor.

2. Ella se limpia la boca con una servilleta después de comer.

B. Escucha y escoge las palabras con el sonido *ll* o *y*.

1. 

quesadilla

2. 

taza

3. 

yuca

4. 

yo

5. 

cuchillo

6. 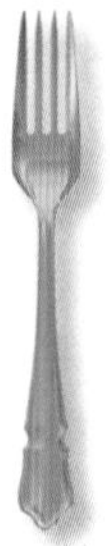

tenedor

C. Escucha y escribe las sílabas.

1. yu-ca = yuca
2. ___ - ___ - ___ = rodilla
3. ___ - ___ - ___ = cuchillo
4. ___ - ___ - ___ - ___ = picadillo
5. ___ - ___ - ___ - ___ = servilleta
6. ___ - ___ - ___ - ___ = quesadilla

D. Identifica y contesta. ¿Cuáles se escriben con *ll*? ¿Cuáles se escriben con *y*?

yate servilleta yoyo yogur camello

1. 

2. 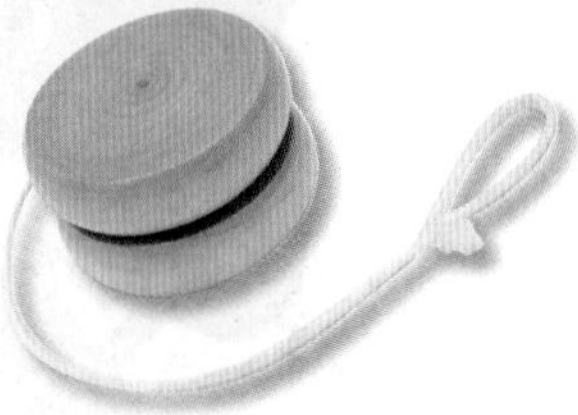

3. 

4. 

5. 

E. Escribe *ll* o *y*. Lee las palabras en voz alta.

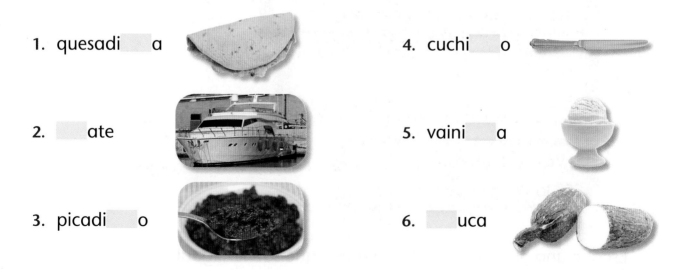

1. quesadi___a 
2. ___ate 
3. picadi___o 
4. cuchi___o 
5. vaini___a 
6. ___uca 

Las palabras que suenan igual

A. Lee, escucha y repite.

Conexiones
ABC

¡Ay! ¡No entiendo nada! Todas las palabras me suenan igual.
¡Ay!
casar
bello
vez
Hay
cazar
vello
ves
Estas palabras suenan igual, pero se escriben diferente. Hay que aprender a escribirlas.

B. Escucha. Identifica las palabras que suenan igual.

1. Los novios se van a casar mañana.
   No me gusta cazar animales.

2. El país es bello.
   El señor no tiene vello en la cara.

3. ¿Ves el restaurante?
   Sí, lo veo por primera vez.

C. Escribe una oración con dos palabras que suenen igual.

Repasa

- los postres
- las palabras que suenan igual

Aplica

▶ Imagina que vas con un amigo o una amiga a un restaurante en República Dominicana.

1. ¿Qué comes tú?
2. ¿Qué come tu amigo o amiga?
3. ¿Cómo son los postres?
4. ¿Qué comida o postre te gusta más?

¡Hola, Yun! Yo como un postre típico de República Dominicana. Es…

¡A escribir!

Tema: La comida y el cuerpo

PLANIFICA
ESCRIBE
REVISA
PRESENTA

Los hábitos saludables

Yo cuido mi piel. Siempre uso protector solar. Es un hábito saludable.
¡Olvidé usar protector solar! Me quemé la piel con el sol.

¿Cómo cuidas tu cuerpo?

Comunicación

Cuarto de hotel en Santiago de los Caballeros

Yo cuido mi cuerpo cuando hago ejercicio.
Yo cuido mi cuerpo cuando como bien.

▶ Conversa.

Yo cuido mi cuerpo cuando...

La clase de baile

Rosalie: ¡Hola, clase! Vamos a practicar los pasos de merengue. Bailar merengue es una excelente forma de cuidar el cuerpo. Alana, ¿qué aprendiste ayer?

Alana: Ayer yo aprendí los pasos para mover los pies y las manos. ¡A la derecha! ¡A la izquierda!

Rosalie: ¡Muy bien! Kai, ¿qué aprendiste ayer sobre la música?

Kai: Aprendí a cerrar los ojos y a escuchar la música. Me gusta el sonido del güiro, del tambor y del acordeón.

Rosalie: ¿Aprendieron algo más?

Alana: Sí, nosotros aprendimos a mover los hombros y la cabeza al ritmo de la música.

Rosalie: ¡Bravo! Recuerden que bailar es como jugar. ¡Vamos a jugar al ritmo del merengue!

A. Escucha y repite.

cabeza
ojos
nariz
hombros
boca
manos
pies

B. Completa.

1. Yo aprendí los pasos para mover los ________ y las ________.
2. Kai, tú aprendiste a cerrar los ________ y escuchar los sonidos del güiro y el tambor.
3. Kai y yo aprendimos a mover los ________ y la ________ al ritmo de la música.

C. Conversa con un amigo o una amiga.

- Imagina que aprendiste a bailar merengue.
  1. ¿Qué pasos aprendiste?
  2. ¿Qué aprendiste sobre la música?
  3. ¿Qué partes del cuerpo aprendiste a mover para bailar merengue?
  4. ¿Qué partes del cuerpo mueves para bailar tu música favorita?

¡A bailar merengue!

A. Escucha las oraciones. Identifica qué palabras dicen cuándo.

Siempre me divierto en Santo Domingo.

Ahora escucho música tropical.

Ayer aprendí pasos de merengue.

Nunca me duelen los pies después de bailar.

A veces hago otros ejercicios.

B. Lee e identifica las palabras que dicen cuándo.

1. Nunca bailo después de comer.
2. A veces salgo a bailar.
3. Para cuidar mi cuerpo, siempre hago ejercicios.
4. Ayer aprendimos a bailar merengue.
5. Ahora aprendo a mover los hombros.

C. Escribe dos oraciones con palabras que dicen cuándo.

D. Lee y repite.

1. La maestra explicó cómo se mueven los pies, los brazos y los hombros.
¿Quién? ¿Qué hizo?

2. Los estudiantes practicaron el merengue.
¿Quién? ¿Qué hizo?

E. Relaciona. Lee en voz alta.

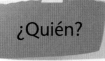

¿Quién?	¿Qué hizo?
1. Alana y Kai	a. aprendió a dar pasos con el pie derecho.
2. Alana	b. aprendí a mover los hombros al ritmo de la música.
3. Nosotros	c. aprendieron pasos de merengue.
4. Yo	d. aprendiste a bailar merengue.
5. Tú	e. aprendimos a cuidar nuestros cuerpos.

F. Lee las oraciones. Identifica ¿quién? y ¿qué hizo?

1. Alana y Kai bailaron merengue en República Dominicana.
2. Yo aprendí cómo mover los hombros.
3. Los estudiantes jugaron y bailaron.
4. Yo escuché el güiro y el tambor.

El merengue, baile típico dominicano

A. Escucha y repite.

El merengue es un baile típico de República Dominicana. Es una mezcla de ritmos de África y de otras partes del mundo. Ahora el merengue se baila en muchas partes de Latinoamérica. ¡Siempre es divertido bailar al ritmo del merengue!

B. ¿Cierto o falso?

1. El merengue es un baile típico de África.
2. El merengue no se baila en Latinoamérica.
3. El merengue es una mezcla de ritmos de República Dominicana.

C. Conversa con un amigo o una amiga.

1. ¿Qué baile típico hay en República Dominicana?
2. ¿Qué baile típico hay en Estados Unidos?
   ¿Cómo se baila?

Repasa

- el cuerpo y los hábitos saludables

Aplica

1. ¿Qué haces para cuidar tu cuerpo?
2. ¿Bailas para cuidar tu cuerpo? ¿Qué bailas?
3. ¿Qué aprendiste sobre la música y el baile del merengue?

Para cuidar mi cuerpo uso protector solar y bailo merengue.

¡A escribir!

Comunicación

Tema: La comida y el cuerpo

PLANIFICA
ESCRIBE
REVISA
PRESENTA

semana 4

Las sensaciones

¿Qué te duele?

Comunicación

Comunidades

A mi burro, a mi burro
le duele la cabeza;
y el médico le ha puesto
una gorrita negra.

Una gorrita negra,
mi burro enfermo está.

A mi burro, a mi burro
le duele la nariz;
y el médico le ha dado
agüita con anís.

A mi burro, a mi burro
le duele la garganta;
y el médico le manda
una bufanda blanca.

Campo en República Dominicana

¿Qué te duele?
Me duele la cabeza, la nariz y la garganta.

▶ Conversa.

- Imagina que te duele alguna parte del cuerpo.

Me duele...

Una tira cómica

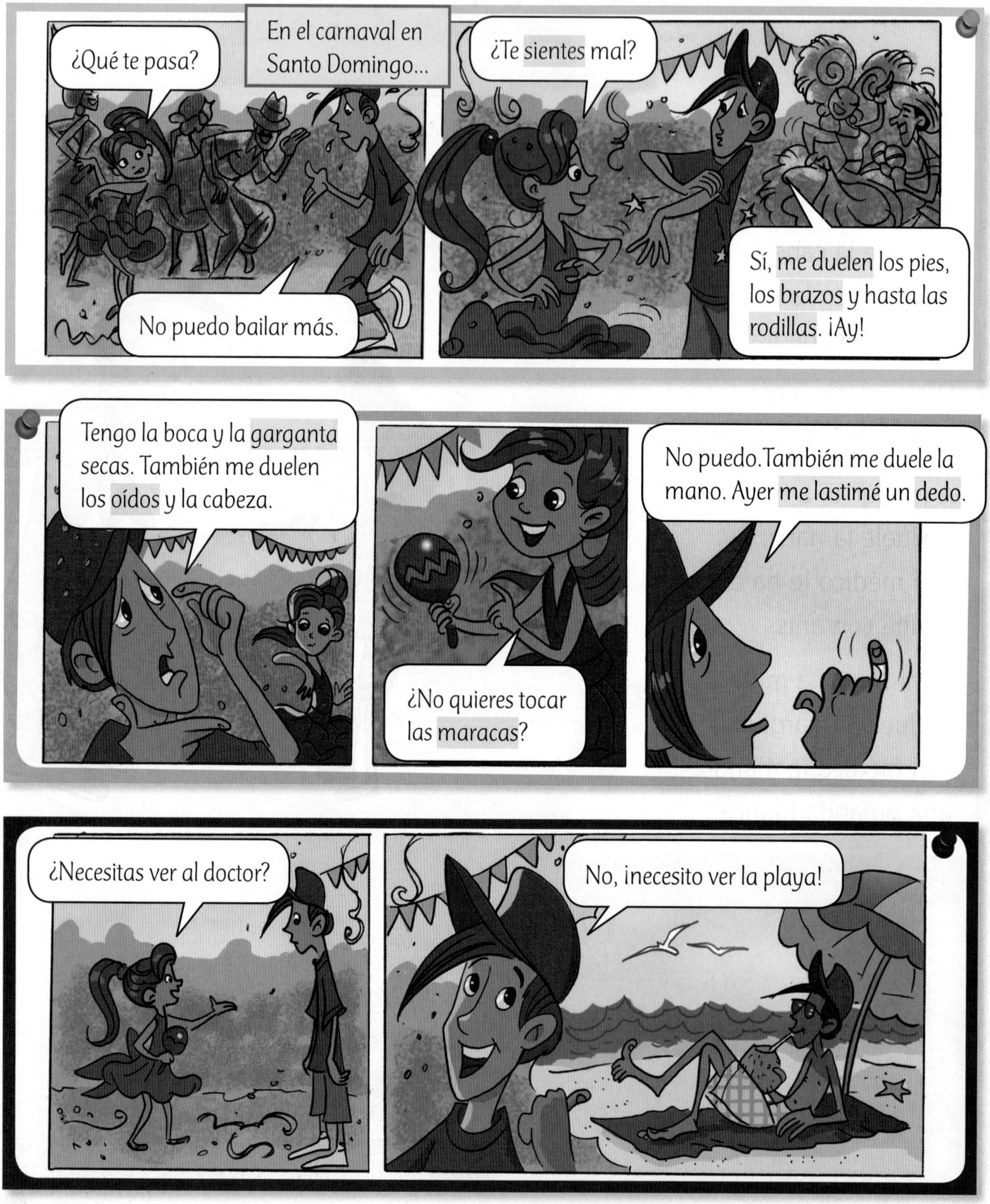
En el carnaval en Santo Domingo...
¿Qué te pasa?
No puedo bailar más.
¿Te sientes mal?
Sí, me duelen los pies, los brazos y hasta las rodillas. ¡Ay!
Tengo la boca y la garganta secas. También me duelen los oídos y la cabeza.
¿No quieres tocar las maracas?
No puedo. También me duele la mano. Ayer me lastimé un dedo.
¿Necesitas ver al doctor?
No, ¡necesito ver la playa!

A. Observa. Escucha y repite.

Comunicación
brazos
dedos
garganta
rodilla

B. Completa. Luego lee las oraciones.

garganta	doctor	rodillas	brazos
mano	boca	dedo	pies

1. A Kai le duelen mucho los ________, los ________ y las ________.
2. Kai tiene la ________ y la ________ secas.
3. Alana quiere llevar a Kai al ________.
4. Kai se lastimó un ________ y le duele toda la ________.

C. Conversa.

1. ¿Por qué Kai no quiere bailar en el carnaval?
2. ¿Qué le duele a Kai?

¿Qué pasó?

A. Lee, escucha y repite.

comer

1. Yo comí pescado en el mercado ayer.
2. Tú comiste pollo.
3. Él comió mango esta mañana.
4. Nosotros comimos ensalada.
5. Ellos comieron flan de coco.

aprender

1. Yo aprendí a bailar merengue.
2. Tú aprendiste a mover los pies al ritmo de la música.
3. Kai aprendió a escuchar la música.
4. Nosotros aprendimos que el merengue es un baile típico.
5. Ellos aprendieron que el merengue se baila en muchas partes del mundo.

B. Completa. Lee en voz alta.

comí   aprendimos   comió   aprendió

Kai: Ayer fue un día muy divertido.
Juan Luis: ¿Qué hicieron?
Alana: Nosotros _______ a bailar merengue. Kai _______ a tocar el güiro.
Juan Luis: ¿Qué comieron?
Kai: Yo _______ pescado y ensalada. Alana _______ frijoles y verduras.
Juan Luis: ¡Qué rico!

C. Lee y escoge.

Ayer yo (aprendieron / aprendí) los pasos de merengue. Hoy me duelen las rodillas.

Ayer nosotros (aprendimos / aprendiste) a tocar el güiro. Hoy nos duelen las manos.

Ayer yo (comí / comió) mucho. Hoy me duele el estómago.

D. Completa las oraciones. Conversa.

Ayer nosotros...

Esta mañana tú...

Anoche yo...

Ayer nosotros aprendimos a bailar. Hoy nos duelen los pies.

¡Adiós, carnaval!

A. Escucha y repite.

El blog de Alana
INICIO
FOTOS
PAISES
MAPAS
MENSAJES
CANCIONES
Enviar
Hoy estoy muy cansada, pero feliz. Ayer fue un día muy agitado. Aprendimos sobre el carnaval y comimos mucho. Mañana nos vamos de República Dominicana. ¡Fue muy divertido estar aquí!

B. Lee el blog de Alana. Identifica las palabras que dicen cuándo.

C. Conversa.

1. ¿Cuándo fue un día muy agitado para Alana?
2. ¿Cuándo se van Alana y Kai de República Dominicana?
3. ¿Cómo está Alana hoy?

Repasa

- la comida
- los sabores
- los hábitos saludables
- las sensaciones

Aplica

▶ Imagina que conversas con un amigo o una amiga sobre tu viaje a República Dominicana.

1. ¿Qué comiste?
2. ¿Qué bebiste?
3. ¿Qué aprendiste?
4. ¿Cómo cuidaste tu cuerpo?
5. ¿Cómo te sentiste?

¡A escribir!

Tema: La comida y el cuerpo

PLANIFICA
ESCRIBE
REVISA
PRESENTA

Unidad 6

Nuestro ambiente

10
PTAS
CORREOS
ESPAÑA
DUQUE DE LERMA (RUBENS)

ESPAÑA

Voy a aprender sobre…

- las estaciones del año.
- los medios de transporte.
- la geografía.
- el tiempo.

ESPAÑA
CORREO AEREO
ESPAÑA
CORREO AEREO

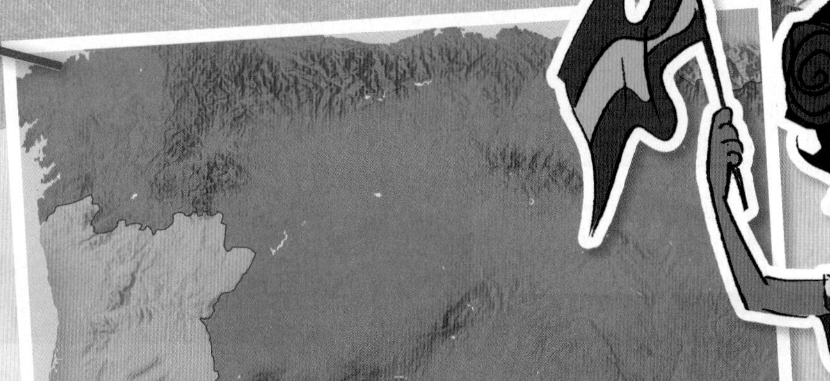
PORTUGAL
ESPAÑA

PLVS
VLTRA

Descubre España

Culturas

Las estaciones del año

En España tenemos playas, montañas, ciudades y campos.
También tenemos ríos, lagos y mar.
¡Qué bien! A mí me encanta ir al mar en el verano.

¿A dónde te gusta ir?

Comunicación

Restaurante en Barcelona

A mí me gusta ir al mar en el verano.

A mí me gusta ir a las montañas en el invierno.

A mí me gusta ir a la ciudad en la primavera.

A mí me gusta ir al campo en el otoño.

▶ Conversa.

En el verano me gusta ir a /al...

En el otoño me gusta ir a /al...

En el invierno me gusta ir a /al...

En la primavera me gusta ir a /al...

El clima en España

BARCELONA
MADRID
GRANADA
N
O
E
S

Beto: El clima en España cambia según la estación del año: el invierno, la primavera, el verano y el otoño.

Virginia: El clima también cambia según la región del país: el norte, el sur, el este y el oeste.

Beto: El clima de Barcelona es muy agradable en la primavera.

Alana: Sí, hoy el tiempo está soleado pero no hace calor.

Kai: ¿Cómo es el clima en el sur de España en la primavera?

Beto: Durante todo el año, en el sur de España hace más calor que en el norte.

Virginia: En el norte hace frío en la primavera.

A. Observa las imágenes. Lee en voz alta.

Comunicación

primavera
verano
otoño
invierno

B. Completa.

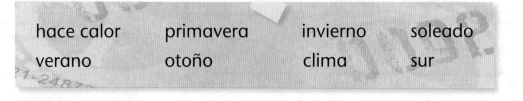

hace calor	primavera	invierno	soleado
verano	otoño	clima	sur

1. El ________ es muy agradable en Barcelona en la ________.
2. Hoy, el tiempo en Barcelona está ________ pero no hace calor.
3. En el ________ de España siempre ________.
4. Las cuatro estaciones del año son: la primavera, el ________, el ________ y el ________.

C. Conversa con un amigo o una amiga.

1. ¿Cuál estación del año te gusta más? ¿Por qué?
2. ¿Qué ciudad está al norte de Granada?

¿Qué recuerdas?

A. ¿Cierto o falso? Corrige lo que es falso. Comunicación

1. El clima de Barcelona no es muy agradable en la primavera.
2. Hoy el tiempo está soleado y hace mucho calor.
3. Durante el invierno hace calor en el norte de España.
4. Durante todo el año, en el sur de España hace más calor que en el norte.
5. En el norte hace mucho calor en la primavera.

B. Une la estación con la imagen correspondiente.

1. 

2. 

invierno

verano

primavera

otoño

3. 

4. 

C. Conversa.

1. ¿Es igual el clima en el norte y en el sur de España?
2. ¿En qué estación del año hace mucho frío? ¿En qué estación del año hace mucho calor?

¿Qué tiempo hace hoy?

A. Escucha y repite. Conexiones

País Vasco
lluvioso
nublado
Salamanca
Barcelona
soleado
Madrid
España
soleado
Granada
Norte
Oeste
Este
Sur

B. Responde. Usa el mapa.

1. ¿Qué tiempo hace hoy en el norte de España?
2. ¿Qué tiempo hace hoy en el sur de España?

C. Conversa con un amigo o una amiga.

- ¿Qué te gusta más: el frío o el calor? ¿Por qué?

Los meses del año

A. Lee, escucha y repite.

En España decimos una rima para aprender cuántos días tiene cada mes del año: Treinta días tienen noviembre, abril, junio y septiembre.
Treinta y uno tiene el resto, excepto febrero mocho que sólo tiene veintiocho. Y veintinueve en bisiesto.
El primero de enero celebramos el Año Nuevo.

B. Completa la tabla. Di cuántos días tiene cada mes.

enero	febrero	marzo	abril	mayo	junio
julio	**agosto**	**septiembre**	**octubre**	**noviembre**	**diciembre**

C. Conversa.

1. ¿Cómo aprenden los niños de España sobre los meses del año?
2. ¿Qué celebran en España en el mes de enero?
3. ¿Qué celebran en tu comunidad en el mes de enero?

Repasa

- las estaciones del año
- el clima
- los meses del año

Aplica

▶ Imagina que visitas Barcelona en abril.

1. ¿Qué estación del año es?
2. ¿Cómo es el clima?
3. ¿Cómo es el clima en tu ciudad?

El clima en mi ciudad es...

¡A escribir!

Comunicación

Tema: El clima y las estaciones del año

PLANIFICA
ESCRIBE
REVISA
PRESENTA

Los medios de transporte

¿Cómo quieres viajar?

Comunicación

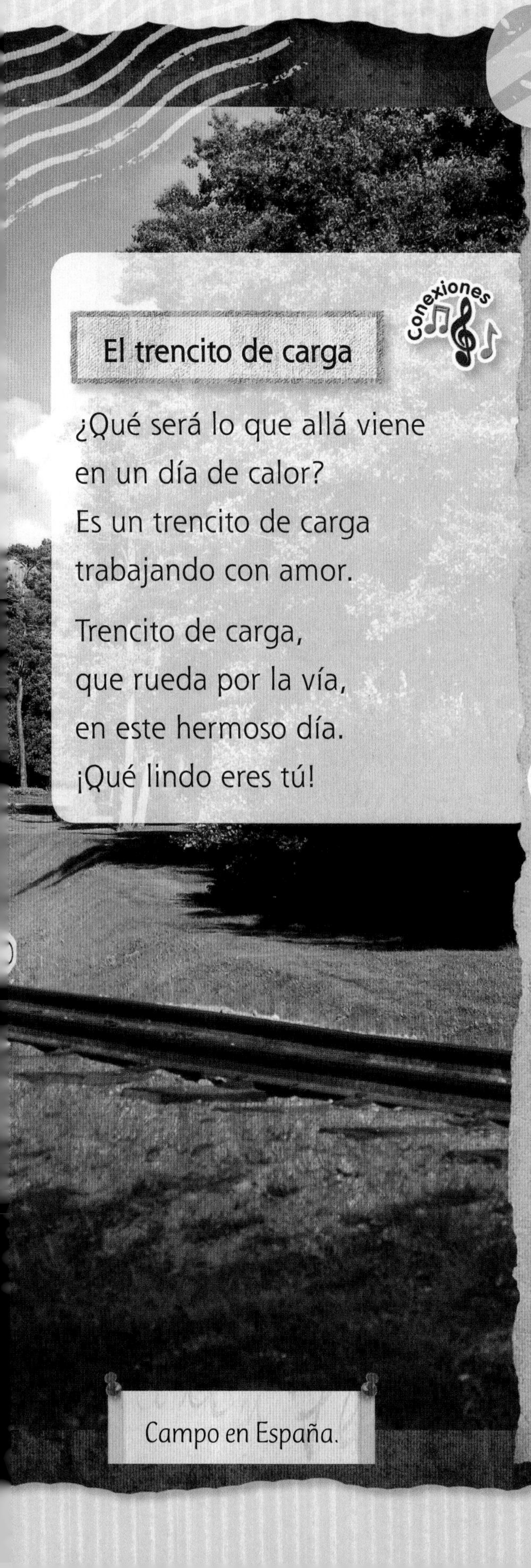

Conexiones

El trencito de carga

¿Qué será lo que allá viene
en un día de calor?
Es un trencito de carga
trabajando con amor.

Trencito de carga,
que rueda por la vía,
en este hermoso día.
¡Qué lindo eres tú!

Campo en España.

Yo quiero viajar en tren.
Yo quiero viajar en avión.
Yo quiero viajar en barco.

▶ Conversa.

Yo quiero viajar en…

Un viaje a Granada

Belén: Hola, yo soy Belén y él es mi hermano Víctor. ¡Bienvenidos!

Kai: Mucho gusto. ¡Estamos felices de estar en Granada!

Víctor: ¿Cómo llegaron a Granada?

Kai: Nosotros llegamos en tren. Tomamos el tren en Barcelona.

Belén: A mí también me gusta viajar en tren. No me gustan los aviones.

Víctor: Yo prefiero viajar en barco.

Alana: A mí me gusta viajar en avión, en barco y en tren.

Kai: Yo prefiero viajar en carro o en autobús.

A. Escucha y repite. Comunicación

Medios de transporte.

carro

avión

barco

autobús

tren

B. Completa. Lee las oraciones en voz alta.

aviones	viajar	barco
carro	tren	autobús

1. Kai y Alana viajaron desde Barcelona hasta Granada en ______.
2. A Belén no le gustan los ______. Ella prefiere viajar en tren.
3. Víctor prefiere ______ en ______.
4. Kai prefiere viajar en ______ o en ______.

C. Conversa.

1. ¿Cómo llegaron Alana y Kai a Granada?
2. ¿Cómo prefieren viajar Belén, Víctor, Alana y Kai?
3. ¿Cómo les gusta viajar a tus amigos?

Viajes de verano

A. Lee, escucha y repite.

Vicente vuela en un avión veloz.

La bicicleta de Bea es muy bonita.

Victoria visita un viñedo en sus vacaciones de verano.

Beto y su abuelo viajan en autobús por los barrios de Barcelona.

B. Completa. Lee en voz alta.

1. Completa con la *b*.
   - **a.** A mí me gusta viajar en ___arco.
   - **b.** Mi papá tiene un ___us.
   - **c.** Yo monto en ___icicleta todos los días.

2. Completa con la *v*.
   - **a.** A mí me gusta viajar en a___ión.
   - **b.** Mi amigo Andrés ___iene a España cada primavera.
   - **c.** Me gustan las ___acaciones.

C. Completa con *b* o con *v*. Lee en voz alta.

1. Mi amiga ___irginia va a ___iajar a ___arcelona en enero.
2. Me gusta ___isitar barrios ___onitos.
3. El ___iaje en tren durante el ___erano fue muy ___ueno.
4. El a___uelo de ___íctor ___ive en un ___arrio muy ___onito.

D. Construye oraciones. Use seperate piece of paper

Viajo en	un barrio	verde.
Voy a	un barco	veloz.
Vivo en	una playa	bonito.
Vuelo en	un avión	bonita.

E. Conversa.

1. ¿A dónde te gusta ir de vacaciones?
2. ¿Cómo te gusta viajar?

Un pueblo antiguo

A. Lee, escucha y repite.

Correo Electrónico

De: alanaj@mail.com

Para: julior@mail.com Asunto: España

Hola Julio:

Ayer viajamos en auto todo el día por España. Hoy estamos en Granada y llueve mucho. ¡La ciudad es preciosa! Parece un pueblo antiguo muy hermoso.

¡Europa sí que es el viejo continente!

Hasta luego,

Alana

B. Lee en voz alta. Identifica las sílabas.

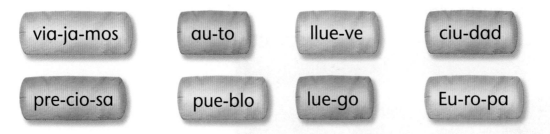

via-ja-mos au-to llue-ve ciu-dad

pre-cio-sa pue-blo lue-go Eu-ro-pa

C. Responde.

1. ¿Qué sílabas tienen dos vocales juntas?
2. ¿Qué palabras tienen la vocal *i*?
3. ¿Qué palabras tienen la vocal *u*?

Repasa

- los medios de transporte

Aplica

▶ Imagina que visitas Granada con Alana y Kai.

1. ¿Cómo viajas desde Barcelona hasta Granada?
2. ¿Te gusta viajar en tren, en avión, en barco o en carro?
3. ¿Cómo prefieres viajar a otro país?
4. ¿En qué mes te gusta viajar?

Me encanta viajar en avión.

¡A escribir!

Tema: El clima y las estaciones del año

PLANIFICA
ESCRIBE
REVISA
PRESENTA

La geografía

PLAZA MAYOR
BARCELONA
MADRID
GRANADA
¿Es Madrid una ciudad importante?
Sí, Madrid es muy importante. Es la capital de España.
Es la ciudad más grande del país. Está en el centro de España.

¿Cómo es tu ciudad?

Comunicación

Plaza Mayor, Madrid

Madrid es una ciudad grande.
Madrid es una ciudad hermosa.
Madrid es una ciudad importante.

▶ Conversa.

Madrid es…

Mi ciudad es…

Mi ciudad y la ciudad de Madrid son…

La geografía española

¡Aprendimos mucho con este juego de geografía!
Francia
España
Océano Atlántico
Portugal
Mar Mediterraneo

Kai: ¿En qué continente está España?

Alana: España está en Europa.

Kai: ¿Está España cerca de Francia?

Alana: Sí. España está al sur de Francia. Los dos países están separados por unas montañas muy altas. Se llaman los Pirineos.

Álvaro: ¿Qué país está al oeste de España?

Victoria: Al oeste de España está Portugal.

Alana: ¿Cómo se llaman las islas españolas que están en el océano Atlántico?

Álvaro: Se llaman las Islas Canarias.

A. Completa.

montañas	continente	Canarias	Portugal
Pirineos	océano	Europa	islas

1. España es un país que está en el ________ de ________.

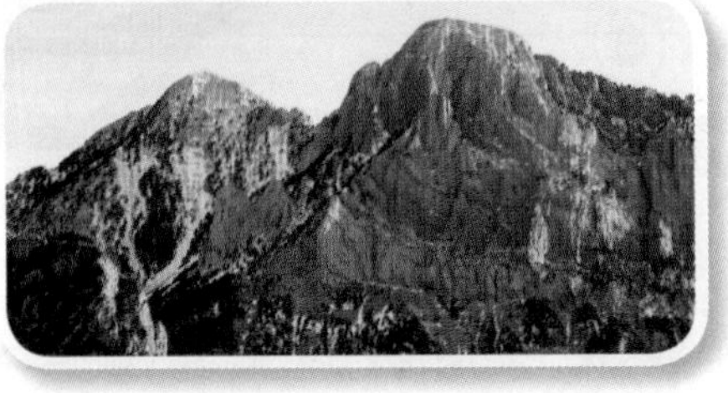

2. Las ________ que separan España de Francia se llaman los ________.

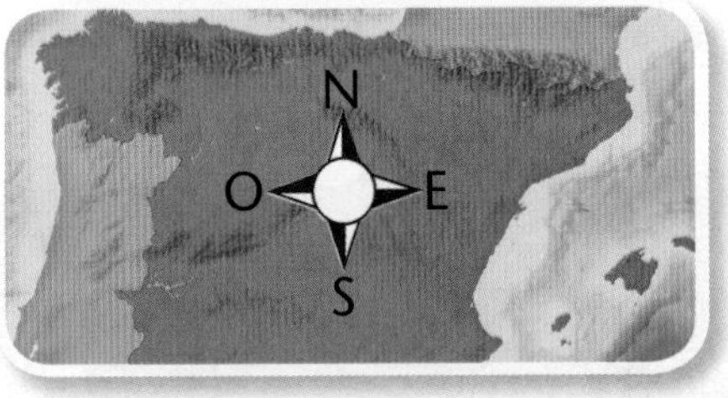
N
O
E
S

3. Al oeste de España está ________.

4. Las ________ españolas en el ________ Atlántico se llaman las Islas ________.

B. Conversa con un amigo o una amiga.

- Imagina que visitas otro país.
    1. ¿Qué país visitas? ¿En qué mes lo visitas? ¿Cómo es el clima, frío o caliente?
    2. ¿Visitas un continente diferente?
    3. ¿Visitas un océano o una montaña?

Los lugares de España

A. Lee, escucha y repite.

Kai, sube al barco.

Kai viajó en barco por el océano.

Alana, ten cuidado.

Alana montó en bicicleta por la playa.

Toma una foto.

Alana visitó la montaña.

Camina más rápido.

Kai paseó por el jardín.

B. Identifica las oraciones que dan una orden.

1. Alana paseó por Madrid toda esta semana.
2. Kai, nada en el mar.
3. Ellos miraron los monumentos en España.
4. Corre más rápido.

C. Completa las oraciones que dan una orden.

Alana, más rápido.
Alana caminó muy despacio.
Kai, la foto rápido.
Kai tomó la foto muy despacio.
Victoria, más despacio.
Victoria corrió muy rápido.
Victoria, más despacio.
Victoria nadó muy rápido.

D. Conversa.

- Imagina que estás en España.
  1. Di a un amigo o una amiga qué debe hacer en España.
  2. Di a un amigo o una amiga qué lugares debe visitar en España.

¿Qué hiciste en España?

A. Escoge. Comparaciones

1. Yo visité el océano ______.

   a. Atlántico b. atlántico

2. Tú visitaste el ______.

   a. Río b. río

3. Nosotros nadamos en el río Tajo en la ______ de Toledo.

   a. Ciudad b. ciudad

4. Alana, Kai y sus padres viajaron a ______.

   a. madrid b. Madrid

5. La familia viajó por el continente de ______.

   a. europa b. Europa

B. Compara y conversa.

1. ¿En qué continente está España? ¿En qué continente está Estados Unidos?
2. ¿Qué actividades puedes hacer en España? ¿Qué actividades puedes hacer en Estados Unidos?

Repasa

- la geografía y los lugares de España

Aplica

▶ Imagina que visitaste España con Alana y Kai.

1. ¿Qué lugares visitaste en España?
2. ¿Qué aprendiste acerca de la geografía española?

España es un país en el continente de Europa.

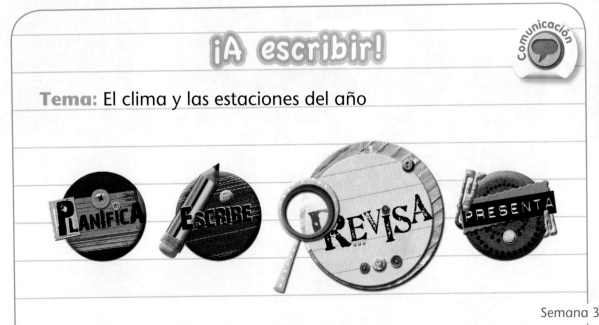

¡A escribir!

Tema: El clima y las estaciones del año

PLANIFICA
ESCRIBE
REVISA
PRESENTA

semana 4

El tiempo

Junio brillante, año abundante.
¡Hace calor!

¿Qué tiempo hace?

Comunicación

Plaza Mayor en Salamanca

En enero hace frío, pero en junio hace calor.

▶ Conversa.

En julio...

En diciembre...

Un informe del tiempo

EL TIEMPO HOY
Barcelona
Salamanca
Madrid
España
Granada
Norte
Oeste
Este
Sur
Barcelona
Salamanca
Madrid
Granada

Alana: ¿Cómo está el tiempo en España hoy?

Ana: Miremos el periódico.

Valeria: Hoy está nublado en Salamanca.

Kai: También hace calor.

Valeria: En Granada hace más calor que en Salamanca.

Alana: Hoy está lloviendo en Barcelona y hace un poco de frío.

Ana: En Madrid hace mucho viento hoy.

Kai: Hoy no está nevando en España.

A. Completa. Lee las oraciones en voz alta.

lloviendo	viento	nevando
calor	frío	nublado

1. Hoy está ______ en Barcelona.
2. En Salamanca hace ______.
3. En la capital de España hoy hace ______.
4. En Salamanca el tiempo está ______.
5. En Barcelona hace un poco de ______.
6. En España hoy no está ______.

B. Responde.

1. ¿Cómo está el tiempo en Salamanca?
2. ¿Cómo está el tiempo en el sur de España?
3. ¿Cómo está el tiempo en Barcelona?
4. ¿Dónde hace más calor, en Salamanca o en Granada?

C. Conversa con un amigo o una amiga.

1. ¿Cómo está el tiempo en tu comunidad hoy?
2. ¿Cómo está el tiempo en el sur de tu país hoy?
3. ¿Cómo está el tiempo en el norte de tu país hoy?

¿A dónde fuiste?

A. Lee, escucha y repite.

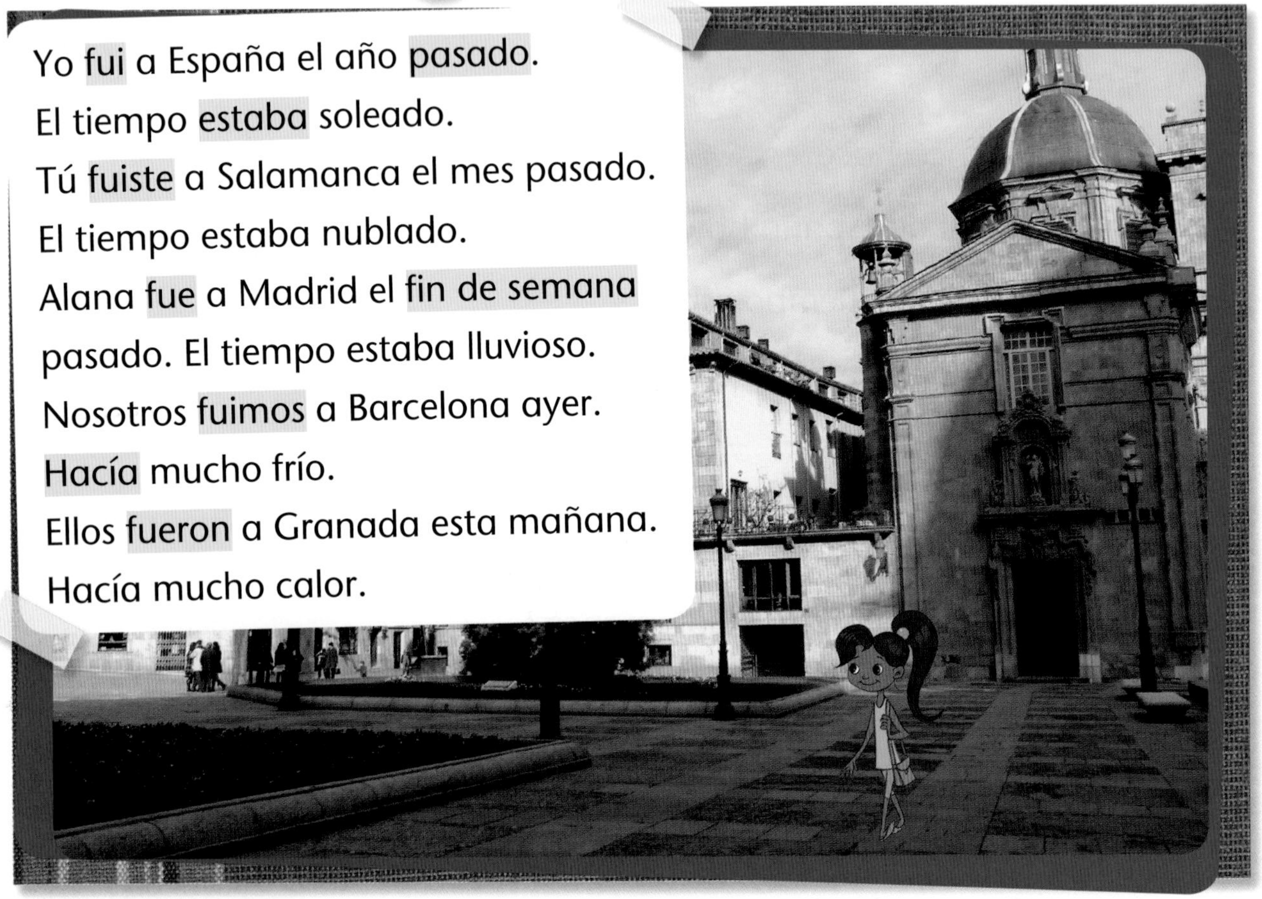

Yo fui a España el año pasado.
El tiempo estaba soleado.
Tú fuiste a Salamanca el mes pasado.
El tiempo estaba nublado.
Alana fue a Madrid el fin de semana pasado. El tiempo estaba lluvioso.
Nosotros fuimos a Barcelona ayer.
Hacía mucho frío.
Ellos fueron a Granada esta mañana.
Hacía mucho calor.

B. Completa.

fuimos   fueron   estaba   hacía   fui

Me divertí mucho en España. Yo ________ a Madrid, a Barcelona, a Granada y a Salamanca. En Madrid, Kai y yo ________ a la Plaza Mayor. El tiempo en Madrid ________ lluvioso. En Granada mis padres ________ al campo. En Granada ________ mucho calor.

C. Lee y escoge.

Kai: Alana y yo (fui / fuimos) a la casa de unos amigos en Barcelona. El tiempo (hacía / estaba) nublado.

Alana: Ustedes (fuiste / fueron) a una fiesta en Madrid. (Hacía / Estaba) mucho calor.

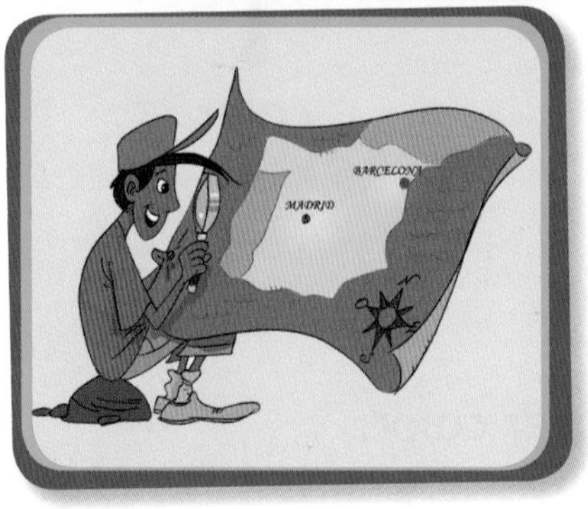
BARCELONA
MADRID

Ana: Tú (fuiste / fuimos) a España en julio. El tiempo (hacía / estaba) soleado.

D. Conversa con un amigo o una amiga.

- ¿A dónde fuiste?

Ayer yo...

El fin de semana pasado tú...

Anoche nosotros...

Ayer yo fui a la Plaza Mayor en Salamanca.

El tiempo en tu comunidad

A. Lee el periódico.

El tiempo

ayer	hoy	mañana
lunes	martes	miércoles
lluvioso	nublado	soleado
frío	viento	calor

Ayer el tiempo estaba lluvioso y hacía frío.
Hoy el tiempo está nublado y hace viento.
Mañana el tiempo va a estar soleado y va a hacer calor.

B. Responde.

1. ¿Qué día está nublado?
2. ¿Qué día va a estar soleado?
3. ¿Qué día estaba lluvioso?

C. Lee un informe del tiempo de tu comunidad.

1. ¿Cómo está el tiempo en tu comunidad hoy?
2. ¿Cómo estaba el tiempo en tu comunidad ayer?
3. ¿Cómo va a estar el tiempo mañana?

Repasa

- los meses y las estaciones del año
- los medios de transporte
- la geografía y los lugares para visitar
- el tiempo

Aplica

▶ Imagina que estás de vacaciones con Alana y Kai en las Islas Canarias.

1. ¿Dónde están las Islas Canarias?
2. ¿Cómo está el tiempo en las Islas Canarias?
3. ¿En qué meses te gusta visitar las Islas Canarias?
4. ¿Cuál es tu estación del año favorita para viajar?

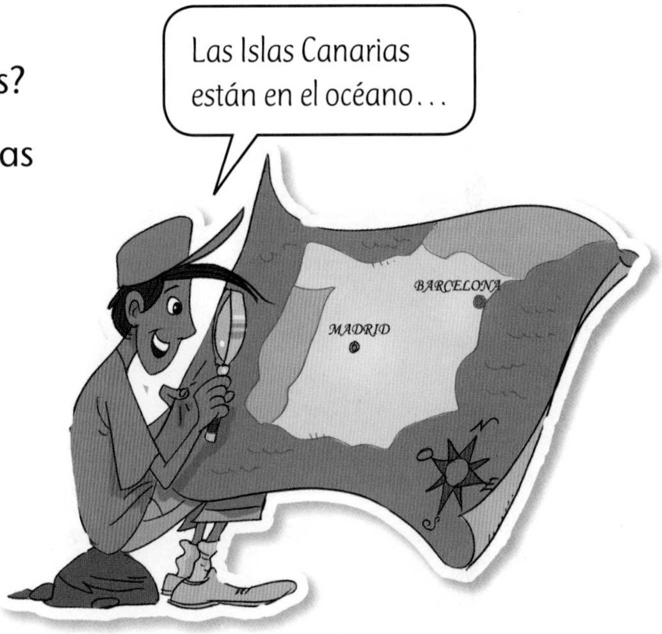
Las Islas Canarias están en el océano...
BARCELONA
MADRID

¡A escribir!

Comunicación

Tema: El clima y las estaciones del año

PLANIFICA
ESCRIBE
REVISA
PRESENTA

Unidad 7

¿Cómo funciona?

¡Gran espectáculo hoy en el teatro Nacional!
Rubén Blades
EN CONCIERTO

PUBLICA DE PANAMA
25
Dirección de
MIGRACION
18 JAN 2001
Aeropuerto int.
TOCUMEN
ENTRADA
DE GOBIERNO Y JUSTICIA

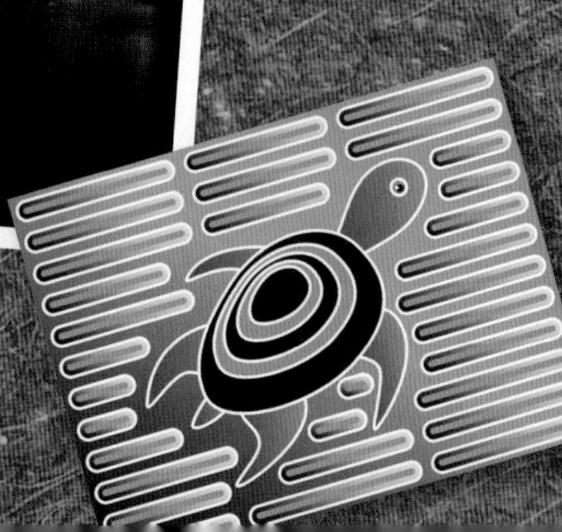

Voy a aprender sobre...

- las profesiones.
- los inventos y la tecnología.
- el mundo del trabajo.
- los lugares de trabajo.

CANAL ZONE POSTAGE
THE PANAMA CANAL
10
10
AIR MAIL

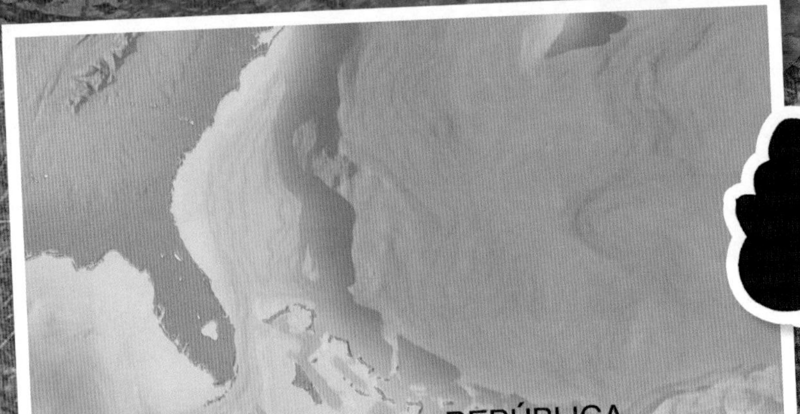
REPÚBLICA DOMINICANA
CUBA
HAITÍ
JAMAICA
BELICE
HONDURAS
NICARAGUA
COSTA RICA
PANAMÁ
COLOMBIA

Descubre Panamá

Culturas

Las profesiones

spectáculo hoy en el Teatro Nacional!
Rubén Blades
EN CONCIERTO
ROBERTO LEWIS
¿Quién es Rubén Blades?
Es un cantante panameño muy importante.
También es compositor, actor, abogado y político.
¡Rubén Blades tiene muchas profesiones!

¿Qué profesional serás en el futuro?

Comunicación

Comunidades

Yo soy el cantante
que hoy han venido a escuchar.
Lo mejor del repertorio
a ustedes voy a brindar.

Y canto a la vida
de risas y penas,
de momentos malos
y de cosas buenas.

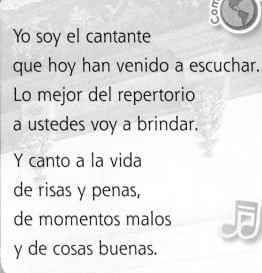

Teatro Nacional

Yo seré cantante.

Yo seré arquitecta.

Yo seré escritora y poeta.

Yo seré doctor.

▶ Conversa.

Yo seré...

Mi profesión en el futuro

NG
575

Canal de Panamá

Alana: ¡Me encanta ver cómo funciona el Canal de Panamá! Me gusta mucho aprender cómo funcionan las cosas. También me gusta diseñar edificios. Yo seré ingeniera, científica o arquitecta.

Kai: A mí me gusta tomar fotos, actuar, cantar y bailar. Yo seré fotógrafo, actor, cantante o bailarín.

Verónica: A mí me gusta leer, escribir y dibujar. Yo seré escritora, poeta o artista.

Rubén: A mí me gusta saber cómo funciona el cuerpo y ayudar a las personas enfermas. Cuando sea grande seré un médico o un enfermero.

Kai: ¡Todos seremos profesionales famosos en el futuro!

A. Escucha e identifica.

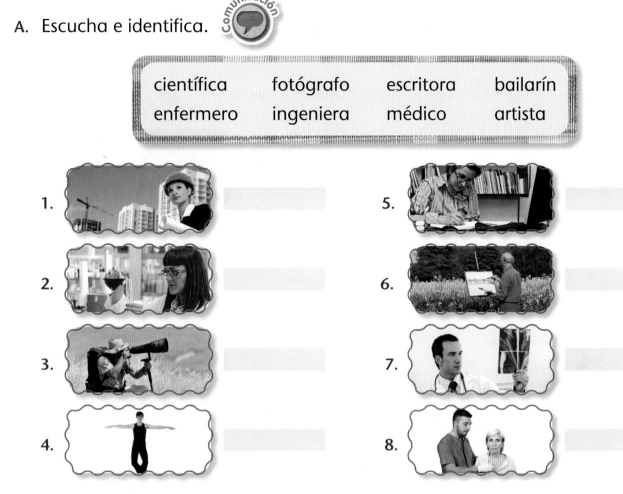

científica	fotógrafo	escritora	bailarín
enfermero	ingeniera	médico	artista

1.  ____

2.  ____

3.  ____

4.  ____

5.  ____

6.  ____

7.  ____

8. 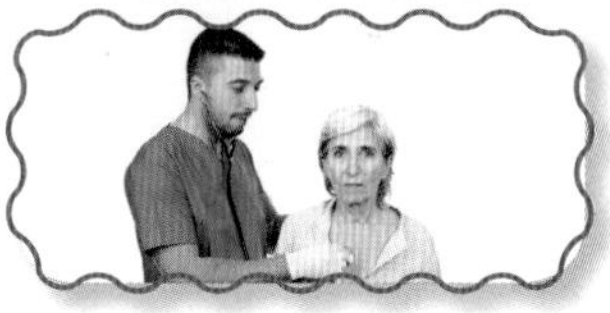 ____

B. Completa las oraciones. Lee en voz alta.

1. A Alana le gusta estudiar cómo funcionan las cosas. Alana será ____ o ____.
2. A Kai le gusta tomar fotos y bailar. Kai será ____ o ____.
3. A Verónica le gusta dibujar y escribir. Verónica será ____ o ____.
4. A Rubén le gusta aprender sobre el cuerpo y ayudar a los enfermos. Rubén será ____ o ____.

C. Conversa con un amigo o una amiga.

1. ¿Qué te gusta hacer?
2. ¿Qué profesiones te gustan?

¿Qué recuerdas?

A. Une las profesiones con la imagen correspondiente.

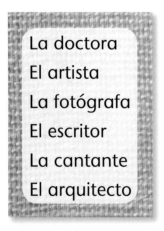

1. un enfermero
2. una científica
3. una doctora
4. un artista
5. un bailarín

a. 

b. 

c. 

d. 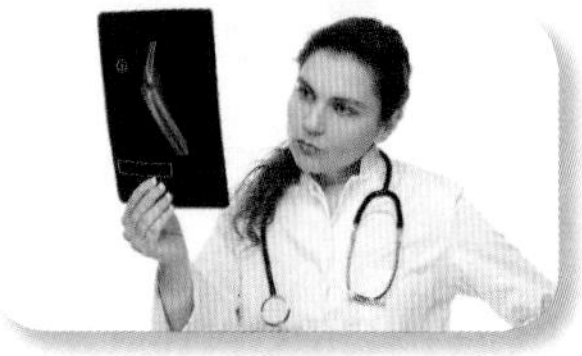

e. 

B. Construye oraciones. Conversa sobre los profesionales.

La doctora	pinta un cuadro.
El artista	ayuda a un enfermo.
La fotógrafa	toma una foto.
El escritor	canta una canción.
La cantante	escribe un libro.
El arquitecto	diseña una casa.

¿Dónde trabajarás?

A. Escucha y repite.

Seré arquitecta. Trabajaré en una oficina.

Seré médico. Trabajaré en un hospital.

Seré artista. Trabajaré en un estudio de arte.

Seré cantante. Trabajaré en un teatro.

B. Escucha y completa. Lee en voz alta.

oficina	hospital	laboratorio	casa

1. Seré científica. Trabajaré en un _____.

2. Seré enfermera. Trabajaré en un _____.

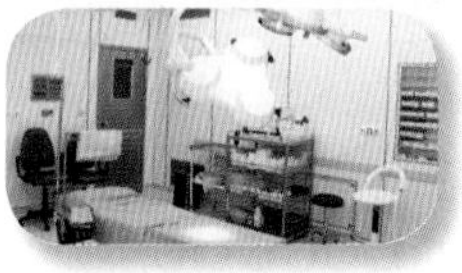

3. Seré ingeniero. Trabajaré en una _____.

4. Seré escritor. Trabajaré en mi _____.

C. Conversa con un amigo o una amiga.

1. ¿Qué profesional serás?
2. ¿Dónde trabajarás?

Un profesional talentoso

A. Lee, escucha y repite.

Uno de los profesionales más famosos de Panamá es Rubén Blades. Blades es abogado y político. Él trabaja con el gobierno de su país y ayuda a muchas personas. Rubén Blades también es cantante y compositor. Él tiene muchos premios por cantar y escribir canciones. Además, Blades es un actor famoso de películas de Hollywood. ¡Rubén Blades es un profesional panameño muy talentoso!

B. Escoge la profesión.

1. Un ________ trabaja con el gobierno para ayudar a la gente.
   a. político   b. actor
2. Un ________ escribe canciones.
   a. abogado   b. compositor
3. Un ________ actúa en las películas.
   a. cantante   b. actor

C. Conversa.

1. ¿Qué profesiones tiene Rubén Blades? ¿Por qué es famoso?
2. Nombra un profesional famoso en tu comunidad. ¿Qué profesión tiene? ¿Dónde trabaja?

Repasa

- las profesiones
- los profesionales

Aplica

▶ Imagina que tú y tu mejor amigo o amiga trabajarán en Panamá.

1. ¿Qué profesional serás?
2. ¿Qué profesional será tu amigo o amiga?
3. ¿Dónde trabajarás?
4. ¿Dónde trabajará tu amigo o amiga?

Yo seré arquitecto.
Yo trabajaré en una oficina en la ciudad.

¡A escribir!

Tema: Las profesiones

PLANIFICA
ESCRIBE
REVISA
PRESENTA

semana 2

Los inventos y la tecnología

¿Cuál es tu invento favorito?

Comunicación

Comunidades

Yo tenía una luz
que a mí me alumbraba.
Yo tenía una luz
que a mí me alumbraba.
Y venía la brisa ¡fua!
y me la apagaba.
Y venía la brisa ¡fua!
y me la apagaba.

Ciudad de Panamá

Mi invento favorito es la luz eléctrica.
Mi invento favorito es el televisor.
Mi invento favorito es la computadora.
Mi invento favorito es el teléfono.

▶ Conversa.

Mi invento favorito es…

Tecnologías divertidas

En el verano viajaré en esta casa móvil.
Casa móvil

Rubén: En el verano yo viajaré en una casa móvil con mi familia. Hablaré con mis amigos por el teléfono celular y escribiré correos electrónicos en la computadora. También jugaré un videojuego sobre los inventos del futuro. En el videojuego yo inventaré una tecnología para viajar a través del tiempo.

Verónica: Y yo inventaré una tecnología para hablar con mis animales favoritos, los pingüinos y las cigüeñas.

Kai: ¡Será un verano divertido!

A. Completa. Lee en voz alta.

casa móvil	computadora	teléfono celular
inventos	tecnología	

1. Viajaré en una ________.
2. Hablaré por el ________.
3. Escribiré correos electrónicos en la ________.
4. Inventaré una ________ para hablar con los animales.
5. El teléfono y la computadora son ________ importantes.

B. Escucha y une.

1. 

2. 

3. 

4. 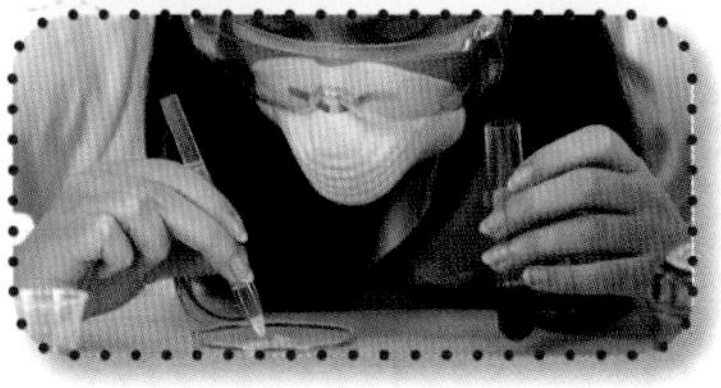

a. Viajaré

b. Hablaré

c. Escribiré

d. Inventaré

C. Conversa con un amigo o una amiga.

- ¿Qué tecnología inventarás?

La tecnología del futuro

A. Lee, escucha y repite.

Habla el pingüino: ¡Güi, güe, güi! ¡Agüita!
Habla la cigüeña: ¡Güe, güi, güe! ¡Agüita!
El pingüino baila y grita: ¡güi, güe, güi!
La cigüeña salta y canta: ¡güe, güi, güe!
Con lengüitas afuera piden agüita.

B. Completa con *güe* o *güi*. Lee en voz alta.

1. La ci___ña canta.
2. El pin___no baila.
3. Las len___tas de los animales están afuera.
4. Los animales piden a___ta.

C. Identifica las palabras con *güe* y las palabras con *güi*. Di una oración con cada una de las palabras.

agua	cigüeña	lengua
agüita	cigüeñita	lengüita

D. Completa las oraciones. Usa *b* o *v*. Lee en voz alta.

1. El capitán ___iaja en un ___arco con ruedas.

2. El ___eterinario ve a las mascotas por la tele___isión.

3. El artista di___uja ___onito en la computadora.

4. El piloto ___uela en un a___ión gigante.

E. Observa la imagen y escucha. Ordena las sílabas.

1. 

de vi o go jue

2. 

ra ma cá

3. 

sa li té te

4. 

net ter in

El Canal de Panamá

A. Lee. Conexiones

El Canal de Panamá es un invento muy importante que une los océanos Atlántico y Pacífico. El Canal tiene esclusas que se usan para subir y bajar el nivel del agua. Los barcos pasan por las esclusas para viajar por el Canal. Muchas personas trabajan en el Canal de Panamá todos los días para que los barcos puedan viajar de un océano al otro.

B. Responde.

1. ¿Por qué los barcos viajan por el Canal de Panamá?
2. ¿Cómo viajan los barcos por el Canal de Panamá?

C. Conversa.

- Imagina que trabajas en el Canal de Panamá.
  1. ¿Qué trabajo haces?
  2. ¿Por qué es importante tu trabajo?

Repasa

- la tecnología
- los inventos
- el Canal de Panamá

Aplica

▶ Imagina que inventas una nueva tecnología.

1. ¿Qué tecnología inventas?
2. ¿Cómo funciona tu invento?
3. ¿Por qué es importante tu invento?

Yo inventé unos zapatos con teléfono.
¿Y cómo funciona tu invento?

¡A escribir!

Tema: Las profesiones

PLANIFICA
ESCRIBE
REVISA
PRESENTA

semana 3

El mundo del trabajo

Soy jardinero.
Soy artesana.
Soy vendedora.

¿Qué hacen los trabajadores?

Comunicación

Soy taxista.
TAXI
LIBRE

Calle San Felipe en la Ciudad de Panamá

El taxista maneja un taxi.
La vendedora vende revistas.
El jardinero cuida las plantas.
La artesana hace artesanías.
TAXI

▶ Conversa.

El taxista…

La vendedora…

El jardinero…

La artesana…

Trabajadores importantes

Alana: Buenas tardes, señor presidente.

Rubén: Buenas tardes, ingeniera Alana. ¿Ya está listo el satélite? Quiero enviar un mensaje por la televisión. Quiero decirles a los trabajadores de la comunidad que son muy importantes para el país.

Alana: ¡El satélite no funciona! El astronauta Kai lo reparará.

TV

Kai: El satélite ya funciona.

Verónica: ¡Pero la cámara de video no funciona! Los cables están rotos.

Alana: El taxista me llevará a la tienda de aparatos electrónicos y la vendedora me ayudará a buscar cables nuevos.

Rubén: Gracias a todos por ayudar. ¡Su trabajo es muy importante!

A. Escucha e identifica.

Comparaciones

satélite   taxi   cámara de video

1.

2.

3.

B. Completa. Lee en voz alta.

Comunicación

cámara de video	astronauta	televisión
ingeniera	presidente	satélite

1. Alana es una ______.
2. Rubén es un ______.
3. Kai es un ______.
4. El presidente quiere enviar un mensaje por la ______.
5. Necesitan una ______ y un ______ para enviar el mensaje.

C. Conversa con un amigo o una amiga.

1. ¿Qué necesitas para enviar un mensaje por televisión?
2. ¿Por qué el presidente quiere enviar un mensaje por televisión?
3. ¿Envía el presidente de tu país mensajes por televisión?

Los trabajos

A. Identifica la profesión. Separa en dos las oraciones.

Comunicación

Mi papá es profesor y mi mamá es científica.

Yo soy astronauta, pero quiero ser policía.

La Sra. Ortiz es actriz y el Sr. Ortiz es músico.

B. Completa. Lee en voz alta.

y pero

1. El astronauta repara el satélite ______ la ingeniera repara la cámara de video.
2. El satélite funciona ______ la cámara de video no funciona.
3. El actor es trabajador ______ el músico es más trabajador.
4. La señora Pérez es profesora ______ el señor López es policía.

C. Completa los diálogos.

Te gusta tomar fotos	Es divertido pintar
Es muy divertido	Me gusta mucho

1. 
¿ ?
¡ !

2. 
¿ ?
¡ !

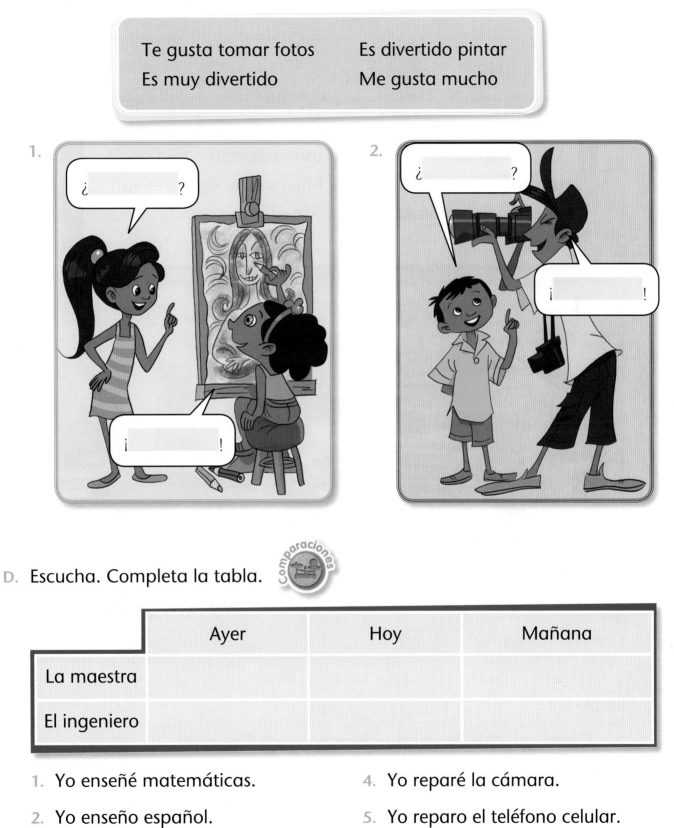

D. Escucha. Completa la tabla.

	Ayer	Hoy	Mañana
La maestra			
El ingeniero			

1. Yo enseñé matemáticas.
2. Yo enseño español.
3. Yo enseñaré ciencias.
4. Yo reparé la cámara.
5. Yo reparo el teléfono celular.
6. Yo repararé el televisor.

El transporte al trabajo

A. Lee, escucha y repite.

Comparaciones

Los trabajadores en Panamá usan diferentes medios de transporte para ir al trabajo. Muchos trabajadores van en carro o en autobús. Otros van al trabajo en bicicleta o a pie.

SURVIVOR

B. Responde.

1. ¿Cómo van al trabajo los trabajadores en Panamá?
2. ¿Cómo van al trabajo los trabajadores en tu comunidad?
3. ¿En qué son similares las formas de ir al trabajo en Panamá y en tu comunidad? ¿En qué se diferencian?

Repasa

- los lugares de trabajo
- las profesiones
- los trabajadores de la comunidad
- el transporte al trabajo

Aplica

▶ Imagina que eres un trabajador en tu comunidad.

1. ¿Dónde trabajas?
2. ¿En qué medio de transporte vas al trabajo?
3. ¿Qué haces en tu lugar de trabajo?

Yo trabajo en una oficina grande. Voy al trabajo en...

¡A escribir!

Comunicación

Tema: Las profesiones

PLANIFICA
ESCRIBE
REVISA
PRESENTA

semana 4

Los lugares de trabajo
Bienvenidos. Aquí aprenderán cómo es un laboratorio de ciencia y tecnología.
Inventaremos nuevas tecnologías.

¿Qué inventarás en el laboratorio?

Comunicación

En el laboratorio yo inventaré un teléfono divertido.

Yo inventaré una patineta con alas.

Yo inventaré una cámara increíble.

Yo inventaré una hamburguesa instantánea.

▶ Conversa.

En el laboratorio yo inventaré...

Centro Interactivo de Ciencias y Artes Explora en la Ciudad de Panamá

Una máquina del tiempo

Hoy trabajaré en el laboratorio del Dr. Castro. Él es un científico muy famoso.
Primero, diseñaré una máquina para viajar a través del tiempo.

Luego, construiré la máquina con la ayuda de una ingeniera y de unos obreros. Usaré materiales y herramientas especiales.

Por último, usaré la máquina para viajar por el tiempo.

La máquina es increíble.
¡Qué triste que sólo es un videojuego y no una máquina verdadera!

A. Completa. Lee las oraciones en voz alta. Comunicación

herramientas	videojuego	materiales	máquina
obreros	ingeniera	científico	viajar

1. Yo inventaré una ________ que viaja por el tiempo.
2. Primero, trabajaré con un ________.
3. Para construir la máquina trabajaré con una ________ y unos ________.
4. Usaré ________ y ________ especiales para construir la máquina.
5. Por último, usaré la máquina para ________ por el tiempo.
6. La máquina es sólo un ________. No es una máquina verdadera.

B. Construye oraciones.

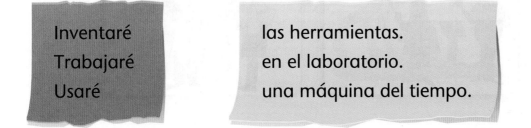

Inventaré	las herramientas.
Trabajaré	en el laboratorio.
Usaré	una máquina del tiempo.

C. Conversa con un amigo o una amiga.

- Di cómo inventarás una nueva tecnología.

Primero...

Después...

Por último...

En el futuro

A. Lee en voz alta.

Yo trabajaré en una oficina.

Tú trabajarás en un hotel.

HOTEL

Ella trabajará en una tienda y él en un hospital.

Tú y yo trabajaremos en un museo.

La ingeniera y el científico trabajarán en un laboratorio.

B. Escoge. Lee en voz alta.

1. Alana (trabajará / trabajaremos) en una oficina.
2. Verónica (trabajarás / trabajará) en un estudio de arte.
3. Rubén y su amigo (trabajarán / trabajaré) en un hospital.
4. Yo (trabajará / trabajaré) en el Canal de Panamá.
5. Kai y yo (trabajaremos / trabajará) en un teatro.
6. Tú (trabajarás / trabajaremos) en un restaurante.

C. Identifica los profesionales. Cambia las oraciones al futuro.

1. Los científicos **trabajan** con instrumentos especiales.
2. El astronauta **trabaja** en el espacio.
3. La arquitecta **trabaja** en una oficina.
4. Tú **trabajas** con las herramientas.
5. El médico y los enfermeros **trabajan** en el hospital.

D. Completa. Lee en voz alta. Comunicación

trabajaré | trabajarás | trabajará | trabajaremos

Correo Electrónico

De: alanaj@mail.com — Enviar — Monumento a Simón Bolivar

Para: rubenm@mail.com — Asunto: En el futuro — Verdana 10 N K S

Mis carpetas
- Bandeja de entrada
- Bandeja de salida
- Elementos enviados
- Elementos eliminados
- Correo no deseado

Hola Rubén:

Yo ___ en un laboratorio. Seré una ingeniera famosa.
Un científico ___ conmigo. Inventaremos una bicicleta
que vuela. Unos obreros y yo ___ juntos para construir
la bicicleta. ¡Será muy divertido trabajar juntos!
¿Dónde ___ tú?

Hasta luego,

Alana

E. Conversa con un amigo o una amiga.

Yo trabajaré... | Tú trabajarás...

Trabajamos en nuestra comunidad

A. Lee, escucha y repite.

Somos trabajadores de Panamá.
Muchos hablamos inglés y español en nuestros trabajos.
Él es un arquitecto. Él diseña obras públicas. Las obras públicas son los canales, los puentes y las calles.
Ella es una ingeniera. Ella supervisa la construcción de las obras públicas.
Ellos son unos obreros. Ellos construyen las obras públicas.
Yo soy un bombero y tú eres un policía.
Todos cuidamos las obras públicas.

B. Escoge.

Mi mamá es arquitecta. (Yo / Ella) diseña puentes en nuestra comunidad. Mi papá es doctor. (Nosotros / Él) ayuda a mucha gente. Mi hermano y yo somos artistas. (Yo / Nosotros) trabajamos juntos para ayudar a las personas en nuestra comunidad.

C. Conversa con un amigo o una amiga.

1. ¿En qué son similares los trabajadores de Panamá y los trabajadores de tu comunidad? ¿En qué se diferencian?
2. ¿Cómo ayudarás tú a tu comunidad?

Repasa

- las profesiones
- los inventos y la tecnología
- el mundo del trabajo
- los lugares de trabajo

Aplica

▶ Imagina que diseñas en el futuro una máquina para ayudar a las personas en tu comunidad.

1. ¿Qué máquina diseñarás?
2. ¿Con quién trabajarás?
3. ¿Dónde trabajarás?
4. ¿Cómo ayudará tu invento a las personas en tu comunidad?

Yo diseñaré una máquina para preparar comidas saludables. Trabajaré con un ingeniero en...

¡A escribir!

Comunicación

Tema: Las profesiones

PLANIFICA
ESCRIBE
REVISA
PRESENTA

Unidad 8

Nuestras celebraciones

Voy a aprender sobre...

- las ceremonias.
- las celebraciones de la comunidad.
- las celebraciones del país.
- las costumbres y tradiciones.

ESTADOS UNIDOS
MÉXICO
GUATEMALA

Descubre México

Culturas

Las ceremonias

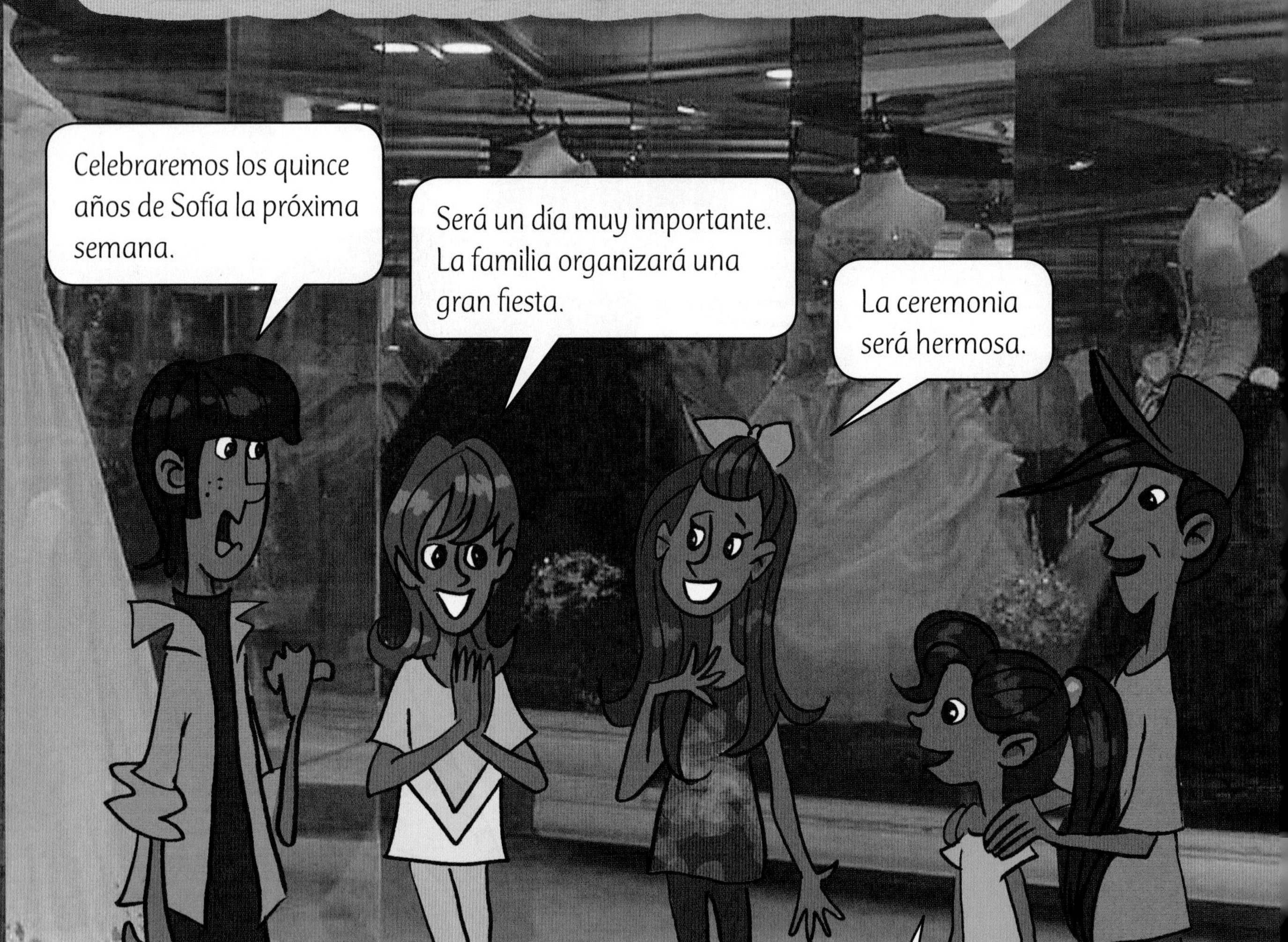
Celebraremos los quince años de Sofía la próxima semana.
Será un día muy importante. La familia organizará una gran fiesta.
La ceremonia será hermosa.
¡Y el vestido también!

La fiesta de quince años

Comunicación

En la fiesta habrá música y baile.
Habrá mucha comida.
Habrá flores y decoraciones.
Habrá un gran pastel.

▶ Conversa.

En la fiesta habrá…

Tienda de vestidos

Sofía, la quinceañera

Kai: ¿Por qué celebran los quince años de Sofía?

Marisol: En la tradición mexicana, los quince años de una niña son muy importantes. Hoy Sofía celebra su cambio de niña a mujer.

Alana: ¿Por eso Sofía cambia sus zapatos en la fiesta?

Andrés: Sí, es una ceremonia muy especial. El padre de la quinceañera le cambia los zapatos bajos por unos zapatos de tacón alto.

Kai: ¿Por qué Sofía le regala una muñeca a Marisol?

Andrés: Es una costumbre. Sofía ya no es una niña. Ella debe regalar su muñeca a una niña menor, como Marisol.

Alana: ¡Qué interesante!

Marisol: Y ahora, ¡a festejar y disfrutar la música, el baile y la comida!

Kai: Cantaré, bailaré y comeré toda la noche.

A. Completa las oraciones. Lee en voz alta. Comunicación

quinceañera	ceremonia	tradición
música	baile	costumbre

1. La celebración de los quince años es una ________ mexicana muy importante.
2. Sofía es la ________.
3. En la ________ Sofía cambia sus zapatos bajos por unos zapatos de tacón alto.
4. Es una ________ regalar una muñeca a una niña de menor edad.
5. Después, comienza la ________ y el ________.

B. Responde. Culturas

1. ¿Por qué celebran los quince años de Sofía?
2. ¿Quién le cambia los zapatos a Sofía?
3. ¿Por qué Sofía le regala una muñeca a Marisol?

C. Conversa con un amigo o una amiga. Comparaciones

1. ¿Qué celebración es importante para tu familia?
2. ¿Qué te gusta hacer en la celebración? ¿Te gusta cantar y bailar? ¿Te gusta comer? ¿Te gusta ver la ceremonia?

¿Qué recuerdas?

A. Escoge la respuesta.

1. En la ceremonia, Sofía cambia…
   a. su muñeca.
   b. sus zapatos.
   c. su vestido.
   d. su familia.
2. Una fiesta de quince años es una celebración…
   a. de comida.
   b. de baile.
   c. de cumpleaños.
   d. de padres.
3. La ceremonia y las costumbres son parte de…
   a. la tradición.
   b. el regalo.
   c. la muñeca.
   d. los zapatos.

B. Completa las oraciones.

Cantaré   Bailaré

1. ______ durante toda la noche.

2. ______ canciones con los mariachis.

C. Conversa.

- ¿Qué harás en tu celebración de cumpleaños?

Una fiesta divertida

A. Lee las oraciones. Identifica las palabras que tienen significados similares.

1. La fiesta es muy hermosa.
   Sofía está muy bella.
2. Quiero festejar los quince años de Sofía.
   Sofía quiere celebrar toda la noche.
3. La familia prepara la fiesta.
   La mamá organiza la ceremonia.
4. Todos disfrutamos la fiesta de quince años.
   ¡Nos divertimos mucho!

B. Une las palabras que tienen significados opuestos.

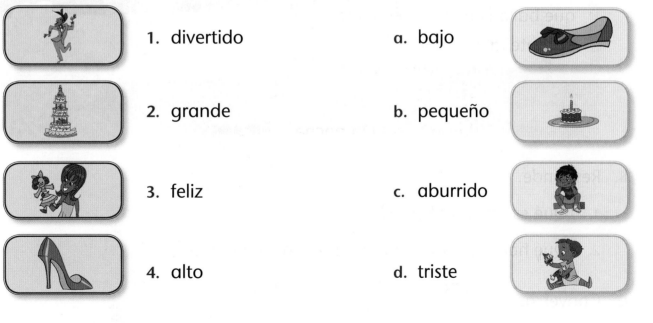

1. divertido

a. bajo

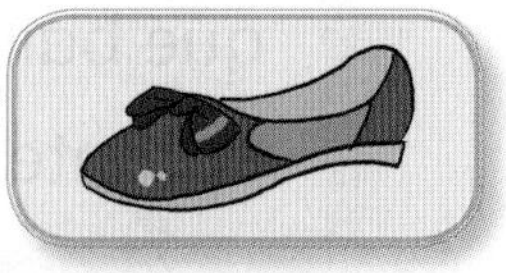

2. grande

b. pequeño

3. feliz

c. aburrido

4. alto

d. triste

C. Conversa.

- ¿Es divertida o aburrida una fiesta de quince años? ¿Por qué?

El chambelán

A. Lee, escucha y repite. Culturas

La fiesta de quince años es un evento muy importante. La quinceañera desfila con catorce niñas y catorce niños. Cada niña representa un año de vida de la quinceañera. La quinceañera también desfila con un chambelán. El chambelán es un joven que baila con la quinceañera durante la ceremonia.

B. Responde.

1. ¿Qué es un chambelán?
2. ¿Qué hace el chambelán durante la ceremonia?

C. Conversa.

1. ¿Hay una ceremonia o una costumbre en tu comunidad que prepara a los niños o las niñas para ser adultos? ¿Cómo es?
2. ¿Te gusta esa tradición? ¿Por qué?

Repasa

- las ceremonias, las costumbres y las tradiciones
- las fiestas de quince años

Aplica

▶ Imagina que preparas una fiesta de quince años para una amiga y su familia.

1. ¿Qué harás en la fiesta?
2. ¿Qué comerás?
3. ¿Qué música bailarás?

Yo cantaré, bailaré...

¡A escribir!

Comunicación

Tema: Las celebraciones

PLANIFICA
ESCRIBE
REVISA
PRESENTA

semana 2

Las celebraciones de la comunidad

¿Qué celebran en tu comunidad?

Comunicación

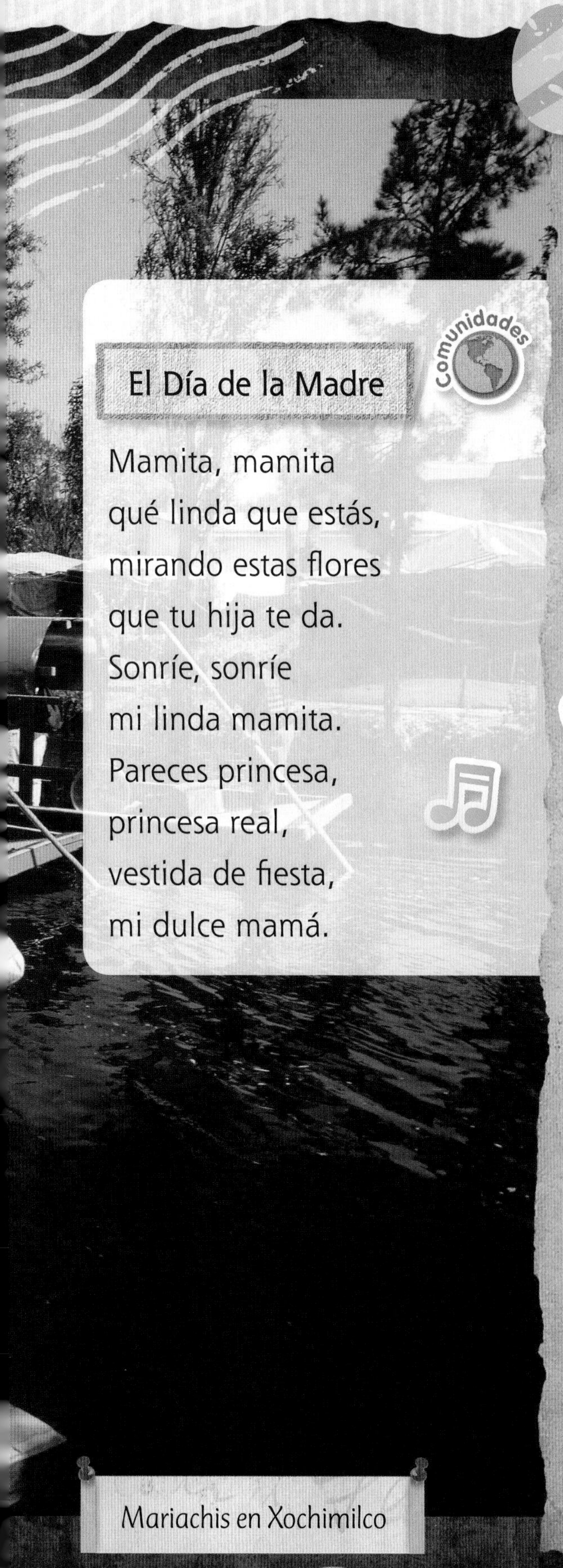

Mariachis en Xochimilco

Comunidades

El Día de la Madre

Mamita, mamita
qué linda que estás,
mirando estas flores
que tu hija te da.
Sonríe, sonríe
mi linda mamita.
Pareces princesa,
princesa real,
vestida de fiesta,
mi dulce mamá.

Nosotros celebramos el Día de la Madre en el mes de mayo.
Nosotros celebramos el Día del Padre en el mes de junio.
Nosotros celebramos el Día de la Amistad en el mes de febrero.

▶ Conversa.

Nosotros celebramos...

El Día de la Madre

Bodas

Alana: ¿En qué fecha celebran el Día de la Madre en México?

Lázaro: En México celebramos el Día de la Madre el diez de mayo.

Marta: Es un día muy especial. Organizamos un festival en la escuela para nuestras madres.

Lázaro: Preparamos un espectáculo con bailes, canciones y chistes. Nuestras madres se divierten mucho… ¡y nosotros también!

Marta: Además, mi padre usa ropa de mariachi y da una serenata a nuestra madre.

Lázaro: El Día de la Madre es un día muy importante para toda la comunidad.

A. Completa las oraciones. Lee en voz alta.

espectáculo	celebración	mariachi
celebran	festival	chistes

1. En México _____ el Día de la Madre el diez de mayo.
2. La _____ del Día de la Madre es muy importante.
3. Los alumnos organizan un _____ en la escuela.
4. Ellos preparan un _____ con bailes, canciones y _____.
5. El padre de Marta usa ropa de _____.

B. Responde.

1. ¿En qué fecha celebran Marta y Lázaro el Día de la Madre?
2. ¿Dónde celebran el Día de la Madre?
3. ¿Qué preparan para su mamá?

C. Conversa con un amigo o una amiga.

1. ¿Qué fiestas celebran tú y tus amigos en la escuela?

   Celebramos...

2. ¿Qué fiestas celebran tú y tu familia?

   Celebramos...

En las celebraciones

A. Lee, escucha y repite.

Celebran un festival
en **tu** escuela.
Tú bailas muy bien.

Él es un amigo de Sofía.
El vestido es hermoso.

Tú **meces** a tu muñeca.
Celebramos fiestas los
doce **meses** del año.

NOV
DIC
ENE
FEB

B. Escoge. Lee la oración en voz alta.

1. (Tu / Tú) familia prepara una fiesta.
2. (Tu / Tú) cantas y bailas en el festival.
3. (Él / El) tiene un regalo para su madre.
4. (Él / El) regalo es hermoso.
5. Me gustan las fiestas en los (meces / meses) de verano.
6. Tú (meses / meces) a un niño en tus brazos.

C. Lee, escucha y repite.

Olguita toca la guitarra y su mamá prepara un guiso.

Migue baila merengue en la fiesta.

D. Escucha y completa.

gue	gui	güe	güi

En la celebración, Andrés tocará la ___tarra y Marisol tocará el ___ro. Después, los invitados comerán ___sos y bailarán música ranchera y meren___. Los niños jugarán con á___las, pin___nos y ci___ñas de ju___te.

E. Conversa. 

Comunicación

1. ¿Prefieres tocar la guitarra o el güiro?
2. ¿Prefieres bailar merengue o jugar con los juguetes?

El Día del Niño

A. Escucha y repite. Conexiones 2.3

El Día del Niño se celebra en muchos países. Es un día para recordar que los niños son muy importantes para la sociedad. En México, los niños celebran este día con fiestas, regalos y dulces.

Celebraciones del Día del Niño

Argentina	Segundo domingo de agosto
Colombia	Último domingo de abril
España	15 de abril
Honduras	10 de septiembre
México	30 de abril
Panamá	Tercer domingo de julio
Perú	Tercer domingo de agosto

B. Responde.

1. ¿Por qué muchos países celebran el Día del Niño?
2. ¿Cómo celebran el Día del Niño los niños de México?
3. ¿En qué fecha celebran el Día del Niño los niños de México?
4. ¿Qué otros países celebran el Día del Niño? ¿En qué fecha celebran este día?

C. Conversa. Comunicación

1. ¿Celebran el Día del Niño en tu comunidad? ¿Cómo lo celebran?
2. ¿En qué otras celebraciones hay fiestas, regalos y dulces?

Repasa

- las celebraciones de la comunidad
- el Día de la Madre
- el Día del Niño

Aplica

▶ Imagina que estás en México y celebras un día especial.

1. ¿Qué fecha es?
2. ¿Qué celebras?
3. ¿Qué haces en la celebración?

Hoy es 30 de abril.
Celebro el Día del Niño.

¡A escribir!

Comunicación

Tema: Las celebraciones

PLANIFICA
ESCRIBE
REVISA
PRESENTA

semana 3

Las celebraciones del país

El Día de la Independencia

Comunicación

Banderita, banderita,
banderita tricolor,
yo te doy toda mi vida
y también todo mi amor.

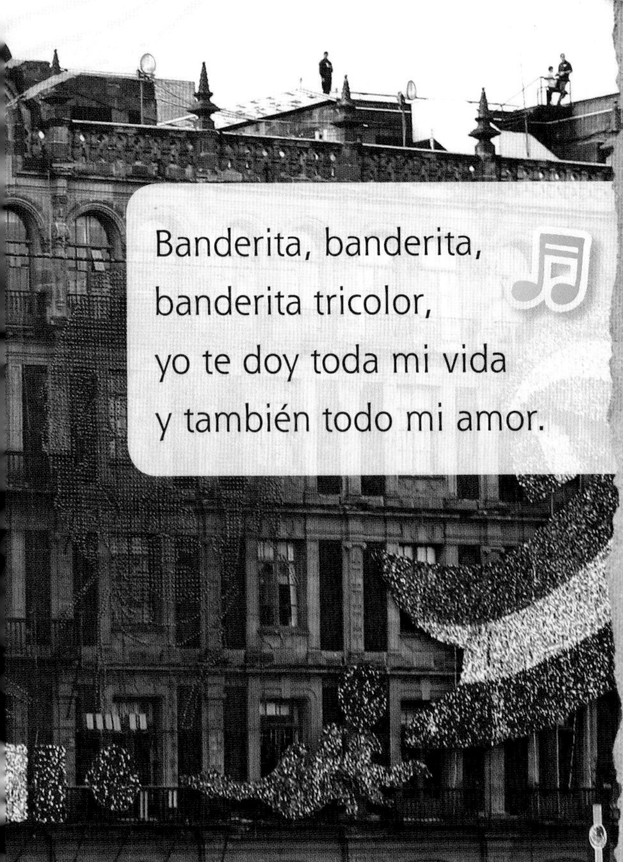

Celebración del Día de la Independencia en la Plaza del Zócalo

En México celebramos el Día de la Independencia el 16 de septiembre.
En Estados Unidos celebramos el Día de la Independencia el 4 de julio.
Celebramos con música y desfiles.
¡Nosotros también!

▶ Conversa.

En México celebran...

Nosotros celebramos...

La independencia de México

Kai: ¿Es el día de hoy un día feriado?

Maestra: Sí. Hoy es 16 de septiembre. Es un día muy especial para los mexicanos. ¡Hoy no hay escuela ni trabajo!

Alana: ¿Qué celebran hoy?

Maestra: Hoy celebramos la independencia de México.

Kai: ¿De qué país se independizó México?

Maestra: México se independizó de España. Muchos mexicanos trabajaron para tener su propio país. Es un evento histórico muy importante.

Alana: ¿Porqué hay banderas en las calles?

Andrés: Porque la bandera representa el amor y el orgullo que sentimos por nuestro país.

A. Completa las oraciones. Lee en voz alta. Comunicación

independencia	orgullo	España
histórico	feriado	país

1. El 16 de septiembre México celebra su ______.
2. Es un día ______. No hay escuela ni trabajo.
3. México se independizó de ______.
4. Los mexicanos trabajaron para crear su propio ______.
5. La independencia es un evento ______ muy importante.
6. Andrés tiene una bandera porque él siente ______ por su país.

B. Responde.

1. ¿En qué fecha celebra México la independencia?
2. ¿Es la independencia un evento importante para los mexicanos?
3. ¿Qué representa la bandera?

C. Conversa con un amigo o una amiga.

1. ¿Qué eventos históricos te gusta celebrar?
2. ¿Cómo celebras los eventos históricos?

¡Así celebramos!

A. Lee las oraciones. Identifica quiénes participan en las celebraciones.

Conexiones ABC

Ejemplo: Los mexicanos celebran el Día de la Independencia.

1. Mi familia celebra en la plaza.
2. Todos los niños cantan canciones.
3. Andrés lleva la guitarra.
4. Ellos caminan por la ciudad.

B. Lee las oraciones. Identifica qué hacen en las celebraciones.

Ejemplo: Los niños llevan banderas.

1. Ustedes tocan los instrumentos musicales.
2. Mi amiga Sofía prepara la comida.
3. Marisol y yo comemos tacos.
4. Nosotros cantamos todo el día.

C. Escucha. Escoge la oración correcta.

1. Es importante la bandera. | ¿Es importante la bandera?
2. ¿Andrés tiene una bandera? | Andrés tiene una bandera.
3. Qué hermosa es la bandera. | ¡Qué hermosa es la bandera!

D. Escoge. Lee las oraciones en voz alta.

1. Hoy Andrés celebra el Día de la Independencia (y / pero) comparte con su familia.

2. Mi padre trabaja mucho (y / pero) el Día de la Independencia no trabajará.

3. Ella camina por la plaza (y / pero) lleva una bandera.

4. Hoy mi amigo celebra su cumpleaños (y / pero) yo no puedo ir a su fiesta.

E. Escoge. Lee el párrafo en voz alta.

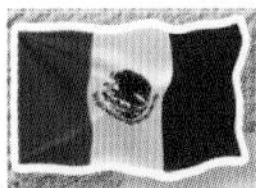

La (Sr. / Sra.) Guerrido celebra el Día de la Independencia en el Distrito Federal de (México / méxico). Ella camina por el Zócalo y lleva un vestido con los colores de (el / la) bandera. El (Dr. / Dra.) López celebra el Día de la Independencia en el (Hospital / hospital) porque tiene que trabajar. ¡(Es / es) un día muy importante!

MEXICO

MEXICAN INDEPENDENCE
1810 1960
4¢
U.S. POSTAGE

El Día de la Bandera

A. Lee. Comparaciones

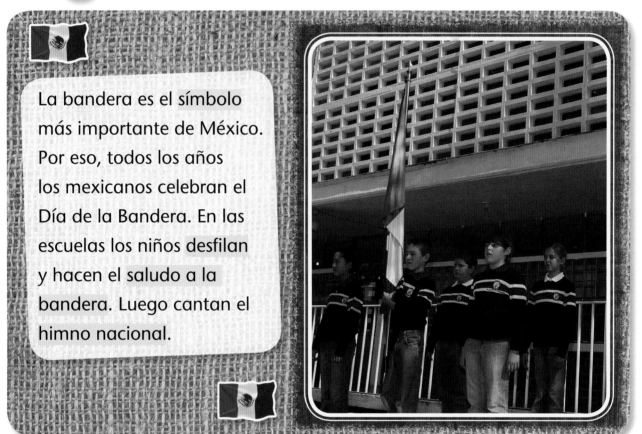

La bandera es el símbolo más importante de México. Por eso, todos los años los mexicanos celebran el Día de la Bandera. En las escuelas los niños desfilan y hacen el saludo a la bandera. Luego cantan el himno nacional.

B. Responde.

1. ¿Por qué los mexicanos celebran el Día de la Bandera?
2. ¿Cómo celebran el Día de la Bandera?

C. Conversa.

1. ¿Celebras tú el Día de la Bandera?
2. ¿En qué son similares las ceremonias a la bandera en México y en Estados Unidos? ¿En qué se diferencian?

Repasa

- las celebraciones del país
- el Día de la Independencia
- el Día de la Bandera

Aplica

▶ Imagina que celebras el Día de la Independencia.

1. ¿Dónde celebras el Día de la Independencia?
2. ¿Cómo celebras ese día?
3. ¿Llevas una bandera? ¿Por qué?

Yo celebro el Día de la Independencia en el parque. Celebro con música y comida. Llevo una bandera porque…

¡A escribir!

Comunicación

Tema: Las celebraciones

PLANIFICA
ESCRIBE
REVISA
PRESENTA

Las costumbres y tradiciones

¿Qué celebran hoy en México?
Hoy celebramos el Día de los Muertos. Es un día muy importante en México.
Una costumbre es llevar dulces a los muertos.

Costumbres del Día de los Muertos

Comunicación

Una costumbre es llevar flores a los muertos.
Otra costumbre es llevar comida, dulces y juguetes a los muertos.

▶ Conversa.

Una costumbre es...

Tienda en Oaxaca

Un anuncio

Comunidades

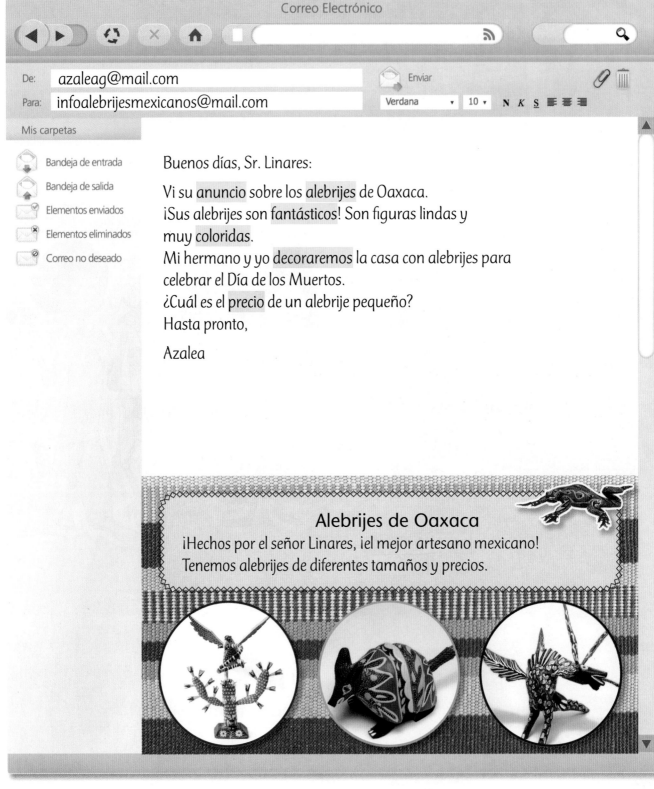

Correo Electrónico

De: azaleag@mail.com

Para: infoalebrijesmexicanos@mail.com

Enviar

Verdana 10 N K S

Mis carpetas

- Bandeja de entrada
- Bandeja de salida
- Elementos enviados
- Elementos eliminados
- Correo no deseado

Buenos días, Sr. Linares:

Vi su anuncio sobre los alebrijes de Oaxaca.
¡Sus alebrijes son fantásticos! Son figuras lindas y muy coloridas.
Mi hermano y yo decoraremos la casa con alebrijes para celebrar el Día de los Muertos.
¿Cuál es el precio de un alebrije pequeño?
Hasta pronto,

Azalea

Alebrijes de Oaxaca

¡Hechos por el señor Linares, ¡el mejor artesano mexicano!
Tenemos alebrijes de diferentes tamaños y precios.

A. Completa las oraciones. Lee en voz alta.

alebrijes	artesano	anuncio
precio	tamaño	coloridas

1. Azalea vio un ______ sobre los alebrijes de Oaxaca.
2. Los ______ son figuras fantásticas.
3. Las figuras son muy ______.
4. Azalea quiere saber el ______ de un alebrije.
5. El Sr. Linares es un ______ mexicano.
6. Azalea quiere comprar un alebrije de ______ pequeño.

B. Responde.

1. ¿Qué información tiene el anuncio?
2. ¿Cómo son los alebrijes?
3. ¿Por qué Azalea quiere comprar un alebrije?

C. Conversa con un amigo o una amiga.

1. ¿Te gustan los anuncios? ¿Por qué?
2. ¿Te gustan los alebrijes? ¿Por qué?

El futuro de las tradiciones

A. Lee, escucha y repite.

En el pasado, los indígenas mexicanos decoraron sus casas con papel picado. Muchos mexicanos todavía decoran sus casas con papel picado durante las celebraciones especiales. En el futuro, los niños mexicanos decorarán sus casas con estas artesanías.

B. Une el día con la actividad. Lee en voz alta.

1. Ayer
2. Hoy
3. Mañana

a. Los niños decorarán el patio con papeles de colores.

b. Azalea decora la sala de su casa con artesanías.

c. El abuelo decoró su cuarto con alebrijes coloridos.

C. Escoge.

Ayer Azalea y su hermano (decorarán / decoraron) su casa con papel picado. Hoy Xuncu y Alana (decoran / decoraron) la escuela. En la escuela aprenden la historia del papel picado. Aprenden que los indígenas hacían adornos y vestidos con papel. Y ustedes, ¿(decoraron / decorarán) su escuela mañana?

D. Escucha y completa. Lee el diálogo en voz alta. Comunicación

celebraré	aprenderé	iré

Alana: Mañana yo ______ a Oaxaca. Un artesano me enseñará cómo hacer alebrijes.

Kai: Yo ______ sobre las tradiciones de los indígenas.

Xuncu: Yo ______ mi cumpleaños con una fiesta.

Alana: Mañana será un día divertido para todos.

E. Escoge.

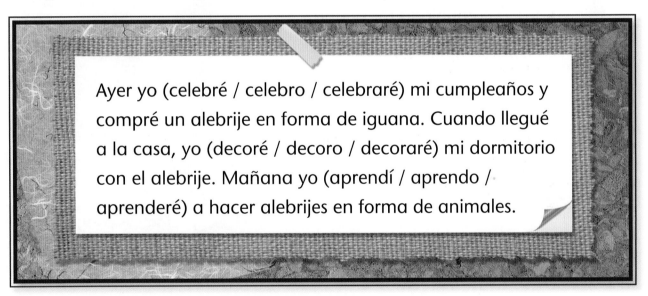

Ayer yo (celebré / celebro / celebraré) mi cumpleaños y compré un alebrije en forma de iguana. Cuando llegué a la casa, yo (decoré / decoro / decoraré) mi dormitorio con el alebrije. Mañana yo (aprendí / aprendo / aprenderé) a hacer alebrijes en forma de animales.

F. Conversa con un amigo o una amiga.

Hoy aprenderé...

Mañana iré...

En la noche celebraré...

La música y la comida tradicional

A. Lee, escucha y repite.

La música de los mariachis es la más tradicional en México. Los mariachis alegran las fiestas y las celebraciones. Por eso, los mariachis son muy importantes para la comunidad mexicana.

La comida típica también es importante en las fiestas mexicanas. Algunos platos típicos son los tacos, las carnitas, los frijoles refritos y las tortillas con salsa.

B. Conversa.

- Imagina que preparas una fiesta tradicional mexicana para celebrar con tus compañeros de clase.

  1. ¿Qué música escucharán?

     Escucharemos...

  2. ¿Qué comerán?

     Comeremos...

Repasa

- las ceremonias
- las celebraciones de la comunidad
- las celebraciones del país
- las costumbres y tradiciones

Mañana yo comeré...

Aplica

1. ¿Cuáles son algunas tradiciones mexicanas?
2. ¿Cuáles son algunas costumbres de las celebraciones de quince años?
3. ¿Cómo celebran los mexicanos el Día del Niño y el Día de la Madre?
4. ¿Qué tradiciones te gustan más? ¿Por qué?

¡A escribir!

Comunicación

Tema: Las celebraciones

PLANIFICA
ESCRIBE
REVISA
PRESENTA

Después de conocer siete países, Alana, Kai y sus padres vuelven a su casa en Estados Unidos.
¡Descubrir el mundo hispano fue muy divertido!
¡Me encantó nuestro viaje!
TAXI
TAXI

ESPAÑA
CORREO AEREO
¡Adiós, amigos!
Gracias por visitar nuestros países.

Alana y Kai le escribirán a todos sus amigos. También van a compartir su diario ilustrado con sus abuelos y sus amigos. Y tú, ¿con quién vas a compartir tu álbum?

Mapa de las Américas

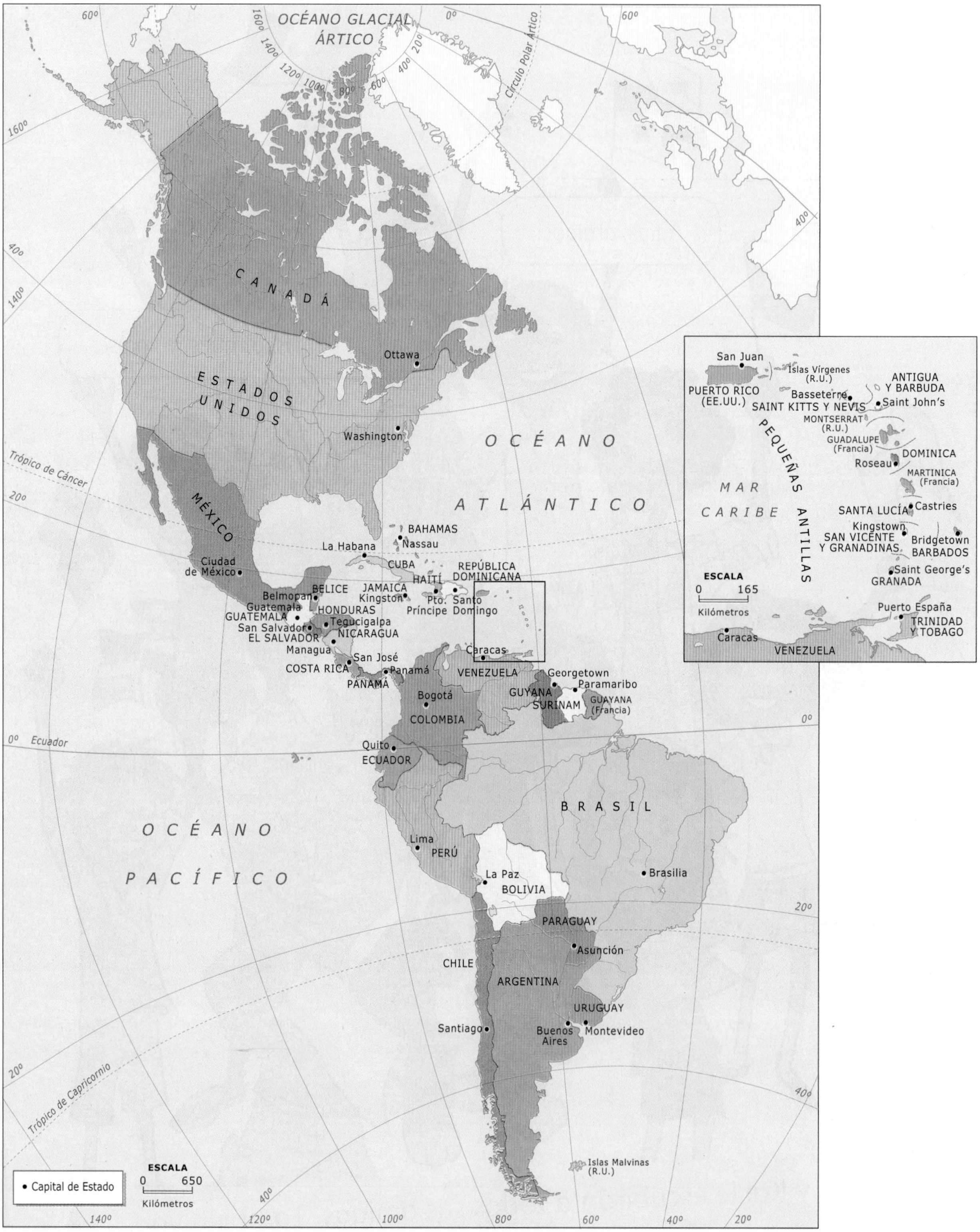

OCÉANO GLACIAL ÁRTICO
Círculo Polar Ártico
CANADÁ
Ottawa
ESTADOS UNIDOS
Washington
OCÉANO ATLÁNTICO
Trópico de Cáncer
MÉXICO
Ciudad de México
BAHAMAS
Nassau
La Habana
CUBA
REPÚBLICA DOMINICANA
HAITÍ
JAMAICA
Kingston
Pto. Príncipe
Santo Domingo
BELICE
Belmopan
Guatemala
GUATEMALA
HONDURAS
Tegucigalpa
San Salvador
EL SALVADOR
NICARAGUA
Managua
San José
COSTA RICA
Panamá
PANAMÁ
Caracas
VENEZUELA
Georgetown
Paramaribo
GUYANA
SURINAM
GUAYANA (Francia)
Bogotá
COLOMBIA
Ecuador
Quito
ECUADOR
BRASIL
OCÉANO PACÍFICO
Lima
PERÚ
La Paz
BOLIVIA
Brasilia
PARAGUAY
Asunción
CHILE
ARGENTINA
URUGUAY
Santiago
Buenos Aires
Montevideo
Trópico de Capricornio
Islas Malvinas (R.U.)
Capital de Estado
ESCALA
0 650
Kilómetros
San Juan
Islas Vírgenes (R.U.)
PUERTO RICO (EE.UU.)
Basseterre
ANTIGUA Y BARBUDA
SAINT KITTS Y NEVIS
Saint John's
MONTSERRAT (R.U.)
GUADALUPE (Francia)
DOMINICA
Roseau
MARTINICA (Francia)
PEQUEÑAS ANTILLAS
MAR CARIBE
SANTA LUCÍA
Castries
Kingstown
SAN VICENTE Y GRANADINAS
Bridgetown
BARBADOS
Saint George's
GRANADA
ESCALA
0 165
Kilómetros
Puerto España
TRINIDAD Y TOBAGO
Caracas
VENEZUELA

Mapa de la Península Ibérica

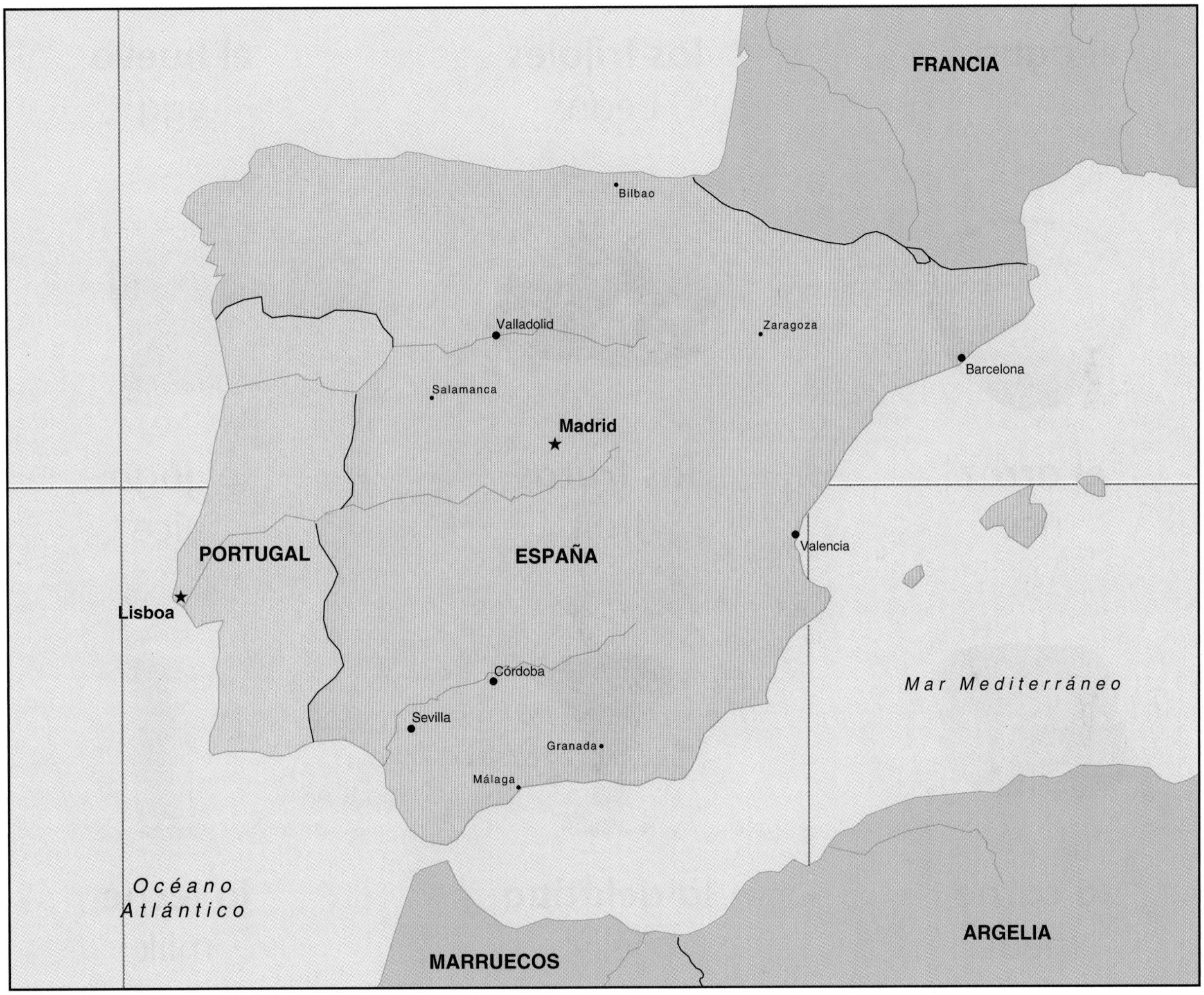
FRANCIA
Bilbao
Valladolid
Zaragoza
Barcelona
Salamanca
Madrid
PORTUGAL
ESPAÑA
Valencia
Lisboa
Córdoba
Sevilla
Granada
Málaga
Mar Mediterráneo
Océano Atlántico
ARGELIA
MARRUECOS

Los alimentos y las bebidas

el agua *f.*

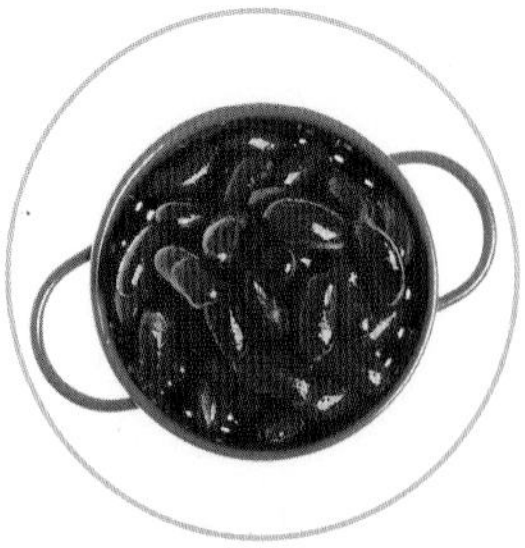

los frijoles
beans

el huevo
egg

el arroz
rice

las frutas
fruit

el jugo
juice

la carne
meat

la gelatina
jelly

la leche
milk

la ensalada
salad

el helado
ice cream

el maíz
corn

la mantequilla
butter

el pastel
cake

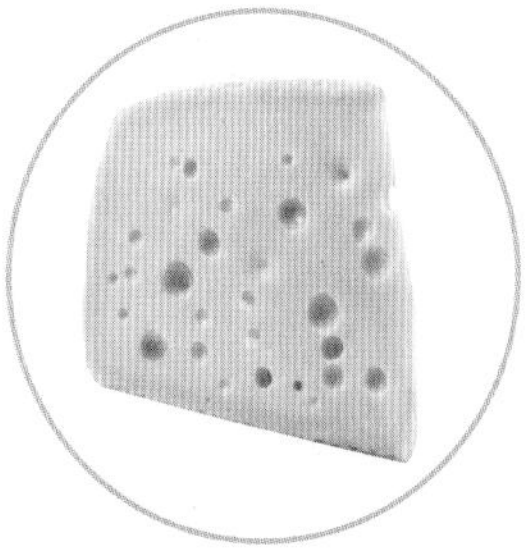

el queso
cheese

la naranja
orange

el pescado
fish

el refresco
soft drink

el pan
bread

el plátano
banana

la sopa
soup

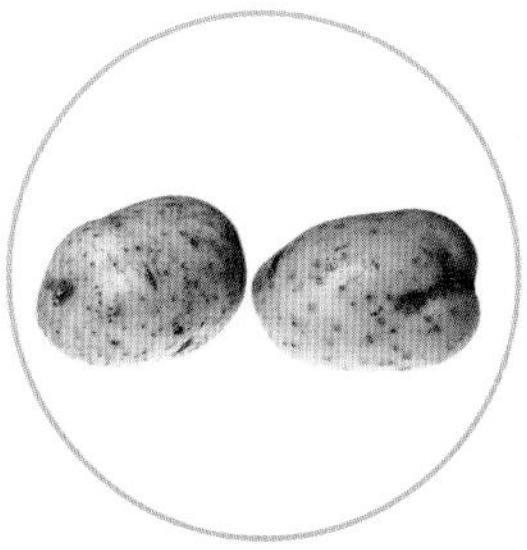

la papa
potato

el pollo
chicken

las verduras
vegetables

Las partes del cuerpo

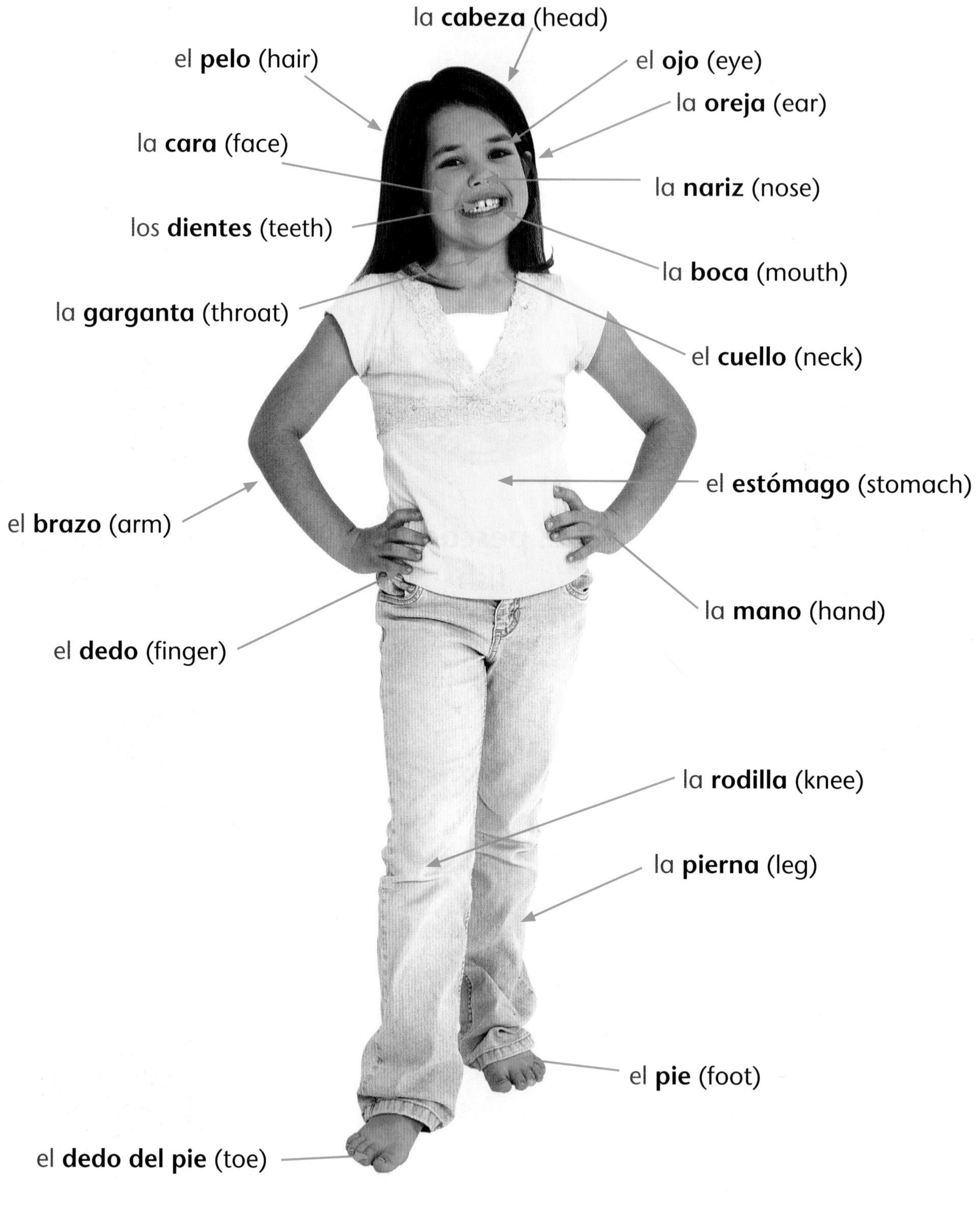
la **cabeza** (head)
el **pelo** (hair)
el **ojo** (eye)
la **oreja** (ear)
la **cara** (face)
la **nariz** (nose)
los **dientes** (teeth)
la **boca** (mouth)
la **garganta** (throat)
el **cuello** (neck)
el **estómago** (stomach)
el **brazo** (arm)
la **mano** (hand)
el **dedo** (finger)
la **rodilla** (knee)
la **pierna** (leg)
el **pie** (foot)
el **dedo del pie** (toe)

La ropa

la blusa
blouse

la camiseta
T-shirt

el pantalón
pants

la bufanda
scarf

el cinturón
belt

el traje de baño
swimsuit

los calcetines
socks

la falda
skirt

el vestido
dress

la camisa
shirt

los guantes
gloves

los zapatos
shoes

Los números

0	1	2	3	4
cero	**uno**	**dos**	**tres**	**cuatro**

5	6	7	8	9
cinco	**seis**	**siete**	**ocho**	**nueve**

10 **diez**
11 **once**
12 **doce**
13 **trece**
14 **catorce**
15 **quince**
16 **dieciséis**
17 **diecisiete**
18 **dieciocho**
19 **diecinueve**
20 **veinte**
21 **veintiuno**
22 **veintidós**
23 **veintitrés**
24 **veinticuatro**
25 **veinticinco**
26 **veintiséis**
27 **veintisiete**
28 **veintiocho**
29 **veintinueve**
30 **treinta**
31 **treinta y uno**
40 **cuarenta**
50 **cincuenta**
60 **sesenta**
70 **setenta**
80 **ochenta**
90 **noventa**
100 **cien**

Los colores

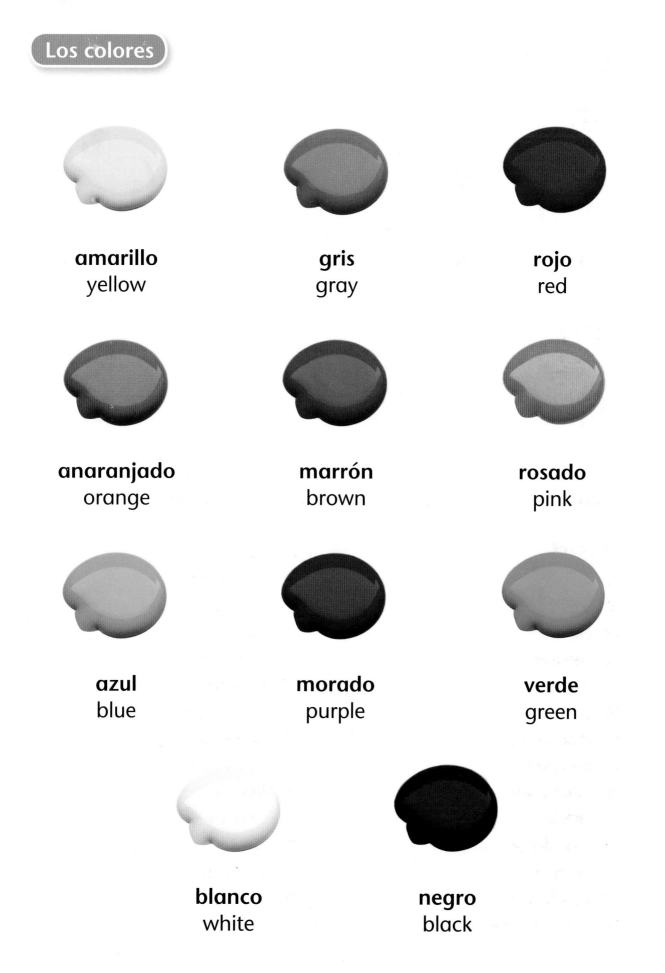

amarillo
yellow

gris
gray

rojo
red

anaranjado
orange

marrón
brown

rosado
pink

azul
blue

morado
purple

verde
green

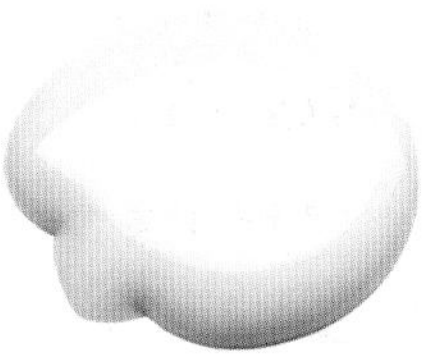

blanco
white

negro
black

Los animales

el burro
donkey

el gato
cat

el perro
dog

el caballo
horse

el pájaro
bird

el toro
bull

el conejo
rabbit

el pato
duck

la tortuga
turtle

la gallina
hen

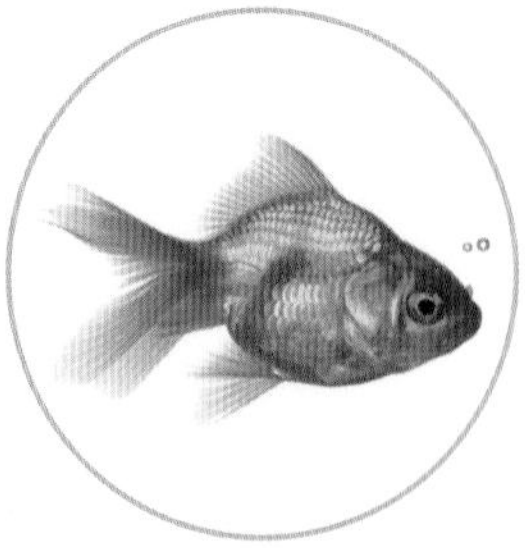

el pez
fish

la vaca
cow

Las palabras cognadas

abril april
el **acordeón** (*pl.* los **acordeones**) accordion
el **actor** actor
la **actriz** actress
agosto August
el **animal** animal
el **apartamento** apartment
el(la) **arquitecto(a)** architect
el(la) **artista** artist
el(la) **astronauta** astronaut
la **aventura** adventure
el **auto** car
el **autobús** (*pl.* los **autobuses**) bus
el **béisbol** baseball
la **bicicleta** bicycle
el **blog** blog
la **cafetería** cafeteria
la **cámara de video** video camera
el **carnaval** carnival
la **celebración** (*pl.* las **celebraciones**) celebration
celebrar to celebrate
el **calendario** calendar
la **ceremonia** ceremony
el **ceviche** ceviche *(raw fish marinated in lime or lemon juice)*
el **chocolate** chocolate
las **ciencias sociales** social sciences, social studies
la **computadora** computer
la **comunidad** community
el **cóndor** condor
la **construcción** (*pl.* las **construcciones**) construction
el **continente** continent
decorar to decorate
el **delfín** (*pl.* los **delfines**) dolphin
delicioso(a) delicious
diciembre December
difícil difficult
el(la) **doctor(a)** doctor
los **electrónicos** electronics
especial special
el **este** east
el **estudio** studio
el **evento** event
fantástico(a) fantastic
la **familia** family
febrero February
el **festival** festival
el **flan** flan, custard
el(la) **fotógrafo(a)** photographer
el **futuro** future
el **gimnasio** gym
la **guitarra** guitar
el **hábitat** habitat
el **hámster** hamster
el **hospital** hospital
histórico(a) historic, historical
la **iguana** iguana
la **independencia** independence
el(la) **ingeniero(a)** engineer
el **ingrediente** ingredient

Las palabras cognadas

inventar to invent
el **jaguar** jaguar
junio June
julio July
el **laboratorio** laboratory
el **lenguaje** language
la **llama** llama
el **mango** mango
las **maracas** maracas
el **mariachi** mariachi *(Mexican street band or musician in it)*
marzo March
las **matemáticas** math
el **material** material
maya Mayan
mayo May
menor minor
el **merengue** merengue
la **montaña** mountain
el **museo** museum
el(la) **músico(a)** musician
el **norte** north
noviembre November
el **océano** ocean
octubre October
el **parque** park
la **piraña** piranha
el **plato** plate, dish
el(la) **poeta** poet
practicar to practice
el(la) **president(a)** president
el(la) **profesional** professional
el(la) **profesor(a)** professor
la **región** (*pl.* las **regiones**) region
el **ritmo** rhythm
las **ruinas** ruins
la **salsa** sauce
el **satélite** satellite
segundo(a) second
septiembre September
la **serenata** serenade
serio(a) serious
el **símbolo** symbol
la **sociedad** society
el **sofá** sofa, couch
el **supermercado** supermarket
supervisar to supervise
el **taco** taco
la **tecnología** technology
el **teatro** theater
el **teléfono celular** cell phone
típico(a) typical
la **tortilla** tortilla *(Mexican unleavened bread; in Spain, a type of omelette)*
la **tradición** (*pl.* las **tradiciones**) tradition
tradicional traditional
el **tren** train
la **trompeta** trumpet
las **vacaciones** vacations
el(la) **veterinario(a)** vet
visitar to visit
la **yuca** yucca

The following abbreviations are used:

adj. adjective *f.* feminine

m. masculine *pl.* plural

A

abajo down, below

el(la) **abogado(a)** lawyer

la **abuela** grandmother

el **abuelo** grandfather

aburrido(a) boring, bored

acompañar to go with

adiós goodbye

agitado(a) hectic

el **águila** *f.* eagle

ahora now

al lado de next to

el **ala** *f.* wing

el **alebrije** *Mexican colored sculpture*

alimentar to feed

el **almuerzo** lunch

alto(a) tall

amable kind

el(la) **amigo(a)** friend

el **amor** love

antiguo(a) old, ancient

el **anuncio** advertisement

el **año bisiesto** leap year

el **Año Nuevo** New Year's

aprender to learn

el **árbol** tree

arriba up, above

la **artesana** craftswoman

la **artesanía** handicrafts

el **artesano** craftsman

el **ave** *f.* bird

el **avión** (*pl.* los **aviones**) airplane

ayer yesterday

ayudar to help

B

bailar to dance

el **bailarín** (*pl.* los **bailarines**) dancer *(m.)*

la **bailarina** dancer *(f.)*

bajo(a) short

el **baloncesto** basketball

la **bandera** flag

el **baño** bathroom

el **barco** ship, boat

el **barrio** neighborhood

beber to drink

la **bebida** drink

el(la) **bombero(a)** firefighter

bonito(a) pretty, beautiful

el **brazo** arm

buscar to look for

C

la **cabra** goat

el **calcetín** (*pl.* los **calcetines**) sock

caliente hot

la **calle** street

la **cama** bed

caminar to walk

el **campo** country(side)
cansado(a) tired
el(la) **cantante** singer
cantar to sing
las **carnitas** *Mexican pork dish*
el **carro** car
la **carta** letter
la **casa** house
la **casa móvil** mobile home
catorce fourteen
el **chambelán** (*pl.* los **chambelanes**) chamberlain
el **chigüiro** capybara *(large South American rodent)*
el **chiste** joke
el(la) **científico(a)** scientist
la **cigüeña** stork
cinco five
la **ciudad** city
el **clima** climate, weather
la **cocina** kitchen
el **coco** coconut
el **cocodrilo** crocodile
colorido(a) colorful
el **comedor** dining room
comer to eat
cómico(a) funny
el(la) **compañero(a)** classmate
comprar to buy
el(la) **compositor(a)** composer
construir to build
correr to run
la **costumbre** custom
el **cuarto** bedroom, room
la **cuchara** spoon
el **cuchillo** knife
cuatro four
cuidar to take care of
cruzar to cross

D

debajo de under, underneath
dentro de inside (of)
desfilar to march
el **desfile** parade
despacio slowly
después then, next
el **día** day
diez ten
diseñar to design
disfrutar to enjoy
divertido(a) fun, amusing
el **domingo** Sunday
el **dormitorio** bedroom
doce twelve
dos two
dulce sweet

E

el **edificio** building
el (*pl.* **los**) the *(m.)*
enfrente de in front of
enero January
el(la) **enfermero(a)** nurse

enfermo(a) sick
la **esclusa** lock *(of a canal)*
escribir to write
el(la) **escritor(a)** writer
el **español** Spanish *(school subject)*
español(a) Spanish *(adj.)*
el(la) **español(a)** Spaniard
el **espectáculo** show
la **estación** (*pl.* las **estaciones**) season
estar to be

F

fácil easy
el **faisán** (*pl.* los **faisanes**) pheasant
la **fecha** date
feliz (*pl.* **felices**) happy
el **feriado** holiday
festejar to celebrate
el **fin de semana** weekend
el **frijol** bean
frío cold
funcionar to work, to operate
el **fútbol** soccer

G

la **gente** people
el **gobierno** government
gracias thank you
grande big, large
la **granja** farm
el(la) **granjero(a)** farmer
el **guacamayo** macaw
el **güiro** *percussion instrument of the Caribbean*

H

hablar to talk, speak
hacer to do, make
la **heladería** ice cream store
la **hermana** sister
el **hermano** brother
hermoso(a) beautiful
la **herramienta** tool
la **hija** daughter
el **hijo** son
el **himno nacional** national anthem
el **hogar** home
hola hello, hi
el **hombro** shoulder
el **horario** schedule

I

indígena native
el **invento** invention
el **invierno** winter
ir to go
la **isla** island

J

el **jardín** (*pl.* los **jardines**) garden
el(la) **joven** (*pl.* los/las **jóvenes**) young man, young woman
el **jueves** Thursday
jugar to play

L

la (*pl.* **las**) the *(f.)*
el **lápiz** (*pl.* los **lápices**) pencil
largo(a) long
lento(a) slow
el **libro** book
llegar to arrive
llevar to take
llover to rain
lluvioso rainy
el **loro** parrot
luego later
el **lugar** place
el **lunes** Monday

M

la **mamá** mom, mother
el **mamífero** mammal
la **máquina** machine
el **martes** Tuesday
la **mascota** pet
el(la) **médico(a)** doctor
el **medio de transporte** means of transportation
el **mercado** market
la **mesa** table
la **mezcla** mixture
el **miércoles** Wednesday
el **mono tití** squirrel monkey *(small South American monkey)*
montar to ride
la **mujer** woman
la **muñeca** doll

N

nadar to swim
la **naturaleza** nature
nueve nine
el **número** number
nunca never

O

las **obras públicas** public works
el(la) **obrero(a)** worker
ocho eight
el **oeste** west
la **oficina** office
el **oído** ear *(inner)*
oír to hear
oler to smell
once eleven
el **orgullo** pride
el **otoño** autumn
la **oveja** sheep

P

la **panadería** bakery
panameño(a) Panamanian
el **pantalón** (*pl.* los **pantalones**) pants
el **papá** dad, father
el **papel picado** confetti
pasado(a) last
el **paso** step
pasear to go for a walk/stroll/ride
el **pasto** grass
la **pata** leg *(of an animal or object)*
el **pavo** turkey
el **pavo real** peacock
peinar to comb
pequeño(a) small
el **perezoso** sloth
el **perico** parakeet
el **periódico** newspaper
el **pez** (*pl.* los **peces**) fish
pintar to draw
la **piña** pineapple
la **playa** beach
la **plaza** (public) square
poder to be able to
el(la) **policía** police officer
el(la) **político(a)** politician
el **pollito** chick
el **postre** dessert
el **precio** price
precioso(a) beautiful, precious
el **premio** prize
la **primavera** spring
primero first
el(la) **primo(a)** cousin
el **pueblo** town, village
el **puente** bridge

Q

qué what
quién who
querer to want, wish
los **quince años** fifteenth birthday
la **quinceañera** fifteen-year-old girl

R

reparar to fix
rápido(a) fast, quick
recordar to remember
el **regalo** present, gift
la **regla** rule, ruler *(for measuring)*
rico(a) rich, good, delicious
la **rima** rhyme
el **río** river
romper to break

S

el **sábado** Saturday
sabroso(a) tasty
la **sala** living room

el **saludo a la bandera** Pledge of Allegiance
seis six
la **selva** jungle, rain forest
la **semana** week
el **señor** Mr.
la **señora** Mrs.
separar to separate
ser to be
la **servilleta** napkin
siempre always
siete seven
la **silla** chair
simpático(a) nice
soleado sunny
sonar to sound
el **sonido** sound
suave soft
subir to go up
el **sur** south

T

el **tacón** (*pl.* los **tacones**) heel *(of a shoe)*
el **tacón alto** high heel
talentoso(a) talented
el **tamaño** size
el **tambor** drum
el(la) **taxista** taxi driver
la **taza** cup
el **tenedor** fork
tener to have
tercer(o)(a) third
el **ternero** calf
el **tiempo** weather, time
la **tienda** store
la **tía** aunt
el **tío** uncle
tocar to play *(a musical instrument)*
tomar to take
trabajar to work
treinta thirty
treinta y uno thirty-one
tres three
triste sad
tropical tropical

U

último(a) last
un(a) a, an
uno (un, una) one
usar to use

V

el **vaso** glass
veintiocho twenty-eight
veloz (*pl.* **veloces**) fast, quick
el(la) **vendedor(a)** salesperson, vendor
ver to see
el **verano** summer
viajar to travel
la **vida** life

viejo(a) old
el **viento** wind
el **viernes** Friday
el **viñedo** vineyard
vivir to live
volar to fly

Z

la **zapatería** shoe store
el(la) **zapatero(a)** shoemaker
el **zoológico** zoo
el **zorrillo** skunk
el **zorro** fox

Expresiones

a la derecha / izquierda to (on) the right / left
a pie on foot
a veces sometimes
al mediodía at noon
en peligro de extinción in danger of extinction
poner huevos to lay eggs
por la mañana / tarde / noche in the morning / afternoon / evening
por último last, finally
¿A qué horas es (la función)? At what time is (the show)?
Buenos días. Good morning.
Buenas tardes. Good afternoon.
Buenas noches. Good evening. Good night.
¿Cómo estás? How are you?

¿Cómo te llamas? What's your name?

Me llamo (Kyle / Lucy). My name is (Kyle / Lucy).

¿Cuándo (vamos al cine)? When (are we going to the movies)?

¿Cuánto (cuesta la camisa)? How much (does the shirt cost)?

¿Dónde vives? Where do you live?

Yo vivo en (Chicago). I live in (Chicago).

Está lloviendo / nevando. It's raining / snowing.

Está nublado. It's cloudy.

Hace calor / frío. It's hot / cold. *(weather)*

Hasta luego / mañana See you later / tomorrow.

Me duele (la mano). / Me duelen (los pies).
My (hand) hurts. / My (feet) hurt.

Me gusta (el helado / jugar fútbol). I like (ice cream / to play soccer).

Me lastimé (un dedo). I hurt (my finger).

Mucho gusto. Pleased (nice) to meet you.

Nos vemos pronto. I'll see you soon.

¿Qué hora es? What time is it?

¿Qué le gusta? What does he / she like?

¡Qué lindo(a)! How pretty!

¿Qué te divierte? What do you enjoy?

Me divierte (tocar la guitarra). I enjoy (playing the guitar).

¿Quién (visita España)? Who (is visiting Spain)?

Te invito a (la fiesta). I invite you to (the party).

Te presento a (Paul / Lisa). Let me introduce you to (Paul / Lisa).

Tengo hambre / sed. I'm hungry / thirsty.

(El tiempo) va a estar (soleado). (The weather) is going to be (sunny).

Va a hacer (calor / frío). It's going to be (hot / cold). *(weather)*

Yo soy (Ted / Anne). I'm (Ted / Anne).

Yo te enseño. I'll teach you.